世界基準で夢をかなえる私の勉強法

A Song of July

北川智子
Tomoko L. Kitagawa

幻冬舎

世界基準で
夢をかなえる
私の勉強法

まえがき

私は九州の田舎に生まれ、地元の公立高校に通う普通の理系女子だったが、この15年、めずらしい学歴と職歴を歩んできた。

高校時代にカナダに語学留学したのをきっかけに、その後、バンクーバーの州立大学へ留学。数学と生命科学を専攻し、大学院では歴史を学ぶ。アメリカのプリンストン大学での博士課程を経て、ハーバード大学で歴史を教える。そして現在は、イギリスのケンブリッジで数学史を研究している。

九州からカナダ、カナダからアメリカ、そしてアメリカからイギリスへと、ずっと勉強し続けているというのは、あまり聞かないキャリアである。そのため日本では、「どんなふうに勉強したら留学が成功するのか」「どうしたらそんなにスピーディーに仕事をこなせるのか」、さらに「どうすれば海外での競争力を身につけられるのか」とよく聞かれる。

実際、効率よく勉強する秘訣とは何だろうか。海外での猛烈な勉強生活には、この質問に対する答えがつまっているはずだ。私の学びについての経験をシェアすることで、日本の誰かが勉強に対してポジティブになり、もっともっと能力をのばせるかもしれない。そんな若い世代の可能性を信じる気持ちから、自身の経験を支えてきた勉強法のポイントをまとめることにした。

つまりこの本は、普通の能力の人間が普通ではない結果を出した、その海外での体験を共有することで、日本でも海外でも、今後多くの人に、気分よく楽しく学習することにつなげてもらいたいと願って書くものである。私の体験談から、勉強に対する熱意や、学びに対する考え方を変えるヒントをつかみ取ってほしい。また、学生の方には、私の方法や気合いの持ち方で自分に合うものがあれば、どんどん参考にして、未来への道を切り開いてほしい。

本文は、2012年7月にイギリスに着いてすぐの私の行動に基づいた日記ツイートを発端として、一つひとつのエピソードが始まる構成になっている。最初はなんだろう？と意味不明に思われるかもしれないが、徐々にその意味に気づかれたい。短いツイートメッセージは、これまでの勉強の成果や勉強するコツがどのように今につながっているかに関係している。つまり、大事なことはいつまで経っても大事だ、ということ。時を重ねても、自分の中に残ること、それこそが勉強の成果であり、自分を形づくるすべてなのだ。

海外で勉強し、就職し、そしてのんびりのびのび生きていく。その成功を握る鍵は、IQの高さや勉強するテクニックうんぬんではない。どのように成功を導く環境をつくるか。そして、どれだけ早く失敗から立ち直り、友人や恩師から学んだことを自分の中に吸収するか。落ち込んだり悩んだりすることなく毎日をどれくらい機嫌よく過ごせるか。そんな基本中の基本のことである。

だからこそ、日本でも世界でも楽しく勉強する方法はどこにでもある。独自の勉強法をうまく習慣化する方法をつかみ取ることで、誰もが「できる自分」に必ずなれる。夢が現実のものになる。自分に合った勉強法を編み出し、失敗を客観的に分析し、周囲の意見から学んでいくことで、さらに難しいチャレンジにも向かっていける。この本を読むことで、みなさんが、それぞれの分野での学びについて深く考え、それぞれの個性に合った形で、オリジナルの勉強法や仕事術を確立されることを願う。

世界基準で夢をかなえる私の勉強法　目次

第2部 カジュアルに、エンドレスに勉強する
～カナダ・ブリティッシュ・コロンビア大学・留学編～

自分に合った勉強法

第3部 24時間を144時間の濃さにする
～米国・プリンストン大学・大学院編～

第4部 結果を出すには準備がすべて

〜米国・ハーバード大学・先生編〜

教えることは最高の学び

アクティブ・ラーニング

◎第5部 勉強は「約束」を果たすために
～英国・ケンブリッジ・飛躍編～

装丁　水戸部功
写真　ギーター真由美
DTP　美創

第1部

大きな壁は回り道をして越える

～カナダ・ホームステイ・英語編～

人生初の独立宣言

明日はアメリカの独立記念日。
私にとっては、今日が人生4回目のインディペンデンス・デイ。
イギリスでの生活が始まろうとしている。ヒースロー空港を出ると、涼しい風が吹いていた。

7月3日

○ホームステイで初めての短期語学留学

最初に一人旅をしたのはカナダだった。その時もたしか7月だったと思う。あの日、私は飛行機の中で、人生初のインディペンデンス・デイ、独立記念日をこっそり祝った。
手に握っていたのは、ホームステイ先の家族の情報。お父さんはシェフで、お母さんは看護師さん。おばあちゃんと3歳の男の子もいる。その家に向かって飛行機は飛んでいた。

高校の夏休みを利用した初の短期海外留学。1カ月のホームステイ先は、ノースバンクーバー。バンクーバーという都会の真北に位置する山の裾野である。トランク一つ、英語力ゼロの、日本から来た高校生。怖いものがないというより、怖がる理由がなかった。初めての海外旅行に胸躍り、プレッシャーがなかったからだろう。

九州から突然飛び出してきて、目的という目的もなかった。しかし、私は、ノースバンクーバーのこの家族に出会ったことがきっかけとなり、後にカナダの大学に進学する。そこからイギリスに着く現在まで、15年あまりの長い間、海外でひたすら勉強と向かい合うことになる。

「短期語学留学」と銘打ったカナダでの短期滞在。勉強するのは、もちろん英語。カナダへのこの最初の海外旅行から大学に入るまでの1年は、英語の勉強のためだけの生活だった。ここでは、私がカナダでどんな暮らしをし、英語の試験（TOEFL　トーフル英語圏への留学希望者の英語力判定に用いられるテスト）をクリアしたのか、どのように独自の勉強法を編み出していったのか、順を追ってお話しししていきたい。

私が通っていたのは公立高校の理数科、数学とか理系の分野に力を入れる進学校だった。

したがって、英語の能力は極めてプア。初めてカナダに行った時は、周りが話す英語がまったく理解できず、ほとんどの場面を笑ってごまかしていたと思う。もちろん一緒に住んでいるホームステイ先の家族に日本語は通じない。身振り手振りでの会話も時間がかかるので、そのうち愛想をつかされるのではないかと毎日不安だった。

ホームステイ先の家族は、お父さんのフィリップがイタリア料理のシェフ。お母さんのアリソンは大きな病院の看護師さん。彼らの子供のスティーブンと、アリソンの母親であるジーンおばあちゃん、という家族構成だった。彼らにとっては私が初めてのホームステイの学生。家族に紛れ込んで住む居候《いそうろう》が一人いるという生活には慣れていないようだったが、とても明るく迎えてくれた。

ジーンおばあちゃんは、もともとイギリスのマンチェスター出身で、ブリティッシュ・アクセントが強い。フィリップとアリソンの英語が分からないのはもちろん、ブリティッシュ・アクセントのせいで、おばあちゃんの言うことは輪をかけてまったく分からなかった。さらに、3歳のしゃべり出したばかりのスティーブン。子供の英語はとても聞き取りづらく、コミュニケーションの難易度は高かった。しかし、この家族構成は、私の英語習得に、とてつもなく大きな貢献をしてくれた。

アリソンもフィリップも、毎日の食事に凝っていて、手づくりのラザニアや卵料理は、絶品だった。シェフのフィリップがつくる料理は、サンドイッチでさえおいしかった。朝食でも夕食でも、食べることに費やす時間は多く、家族みんなで、食卓を囲んだ。私も毎日アリソンのそばで会話を聞きながら、おいしい食べ物をいただいて過ごした。

そのうち、一家の居候的ポジションの私の役割は、3歳の男の子、スティーブンのベビーシッター兼皿洗いになっていった。誰から指示されたわけでもない。英語が話せず、ただ食べているだけでは心苦しかったので、少しでも、共働きのこの家族の生活の役に立ちたかった。普通だったら、海外のホームステイ先でベビーシッターや皿洗いをしていたら日本の家族が怒るかもしれないが、私の場合はもともと語学の習得が目的だったので、まったく問題にならなかった。家族と共に過ごしていればいつでも、英語の勉強になる。

夏休みのごく短期間だったとはいえ、家族の一員として一緒に楽しく過ごしたことで、私は彼らと本当の家族同然になり、離れられなくなってしまった。まずもって小さなスティーブンが私になつきすぎた。

カナダに来た最初の動機は、ちょっとした好奇心。短期留学以上の計画は何もなかった。

しかし、カナダの家族に、「もっと英語を勉強して、こっちの大学に家から通えばいいじゃない」と勧められ、私はあっさりその気になった。カナダの大学で勉強するという新しい道は、ぐんと輝いて見えた。夏休みのあっという間に築かれた固い信頼関係。そこから開かれた道。これはやってみないと後悔する！　という直感が、いったん帰国した私を、再び九州から飛び立たせるきっかけとなった。

◎テストのための勉強をやめた

しかし実際は、すぐに大学に入れたわけではない。私の高校までの英語は、カナダの大学に入学できるレベルからは程遠く、ノースバンクーバーのホームステイ先からバンクーバーの英語学校にしばらく通うことになった。

家族は、私のプアな英語力では、家から学校まですら自力でたどり着けないだろうと、小さなメモカードを用意してくれた。カードの表には、アリソンの手書きの地図。そして、バスの番号と行き先名。裏には、もし私の英語が通じない場合、バスの運転手さんに見せるといいと、運転手さんへの迷子誘導メッセージが書かれていた。アリソンもフィリップも、英語ができない私を一人で歩かせるのが相当心配だったのだろう。外で飼う猫に、自

アリソンがつくってくれた行き先カード

（表）

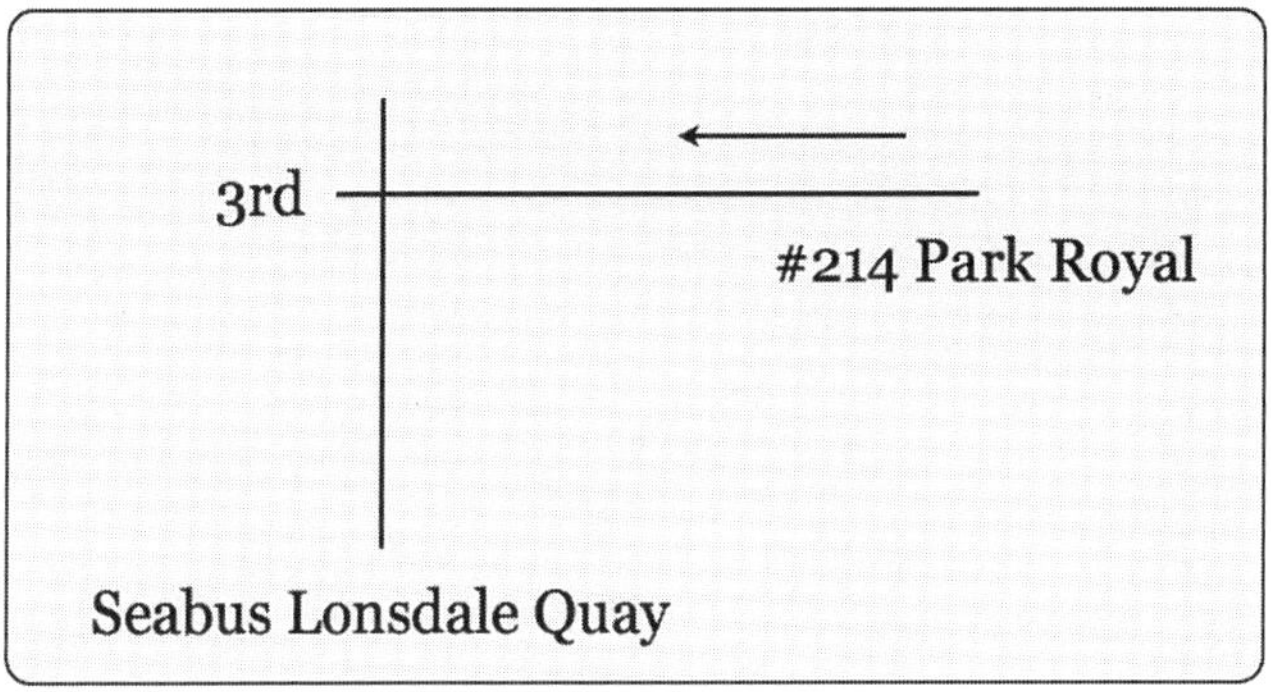

（裏）

She is taking a bus to Lonsdale Quay: She will then be taking a bus going to Robson x Howe.
Thank you.

分の家の住所を書いたタグをつけるのとほとんど同じだ。

私の英語の勉強はその小さなカードからスタートした。通学だけでなく、一人で出かける時は、行き先までの道の名前や、簡単な指示が英語で書いてあるカードを持つ。アリソンのハンドライティングは読みにくかったが、まずは、その文面を解読し、目的地までの道のりにあるものの名前を理解するようにした。それが英語の勉強の始まりだった。

英語学校での目標は、もちろんTOEFLの試験で高得点を取ること。ホスト・ファミリーの家から通えるバンクーバーにある大学で、州立かつ4年制の大学となると、ブリティッシュ・コロンビア大学かサイモン・フレーザー大学だが、どちらにしてもTOEFLの基準はかなり高かった。単語、文法、リスニング、ライティング。さまざまな角度から迫ってくる問題たち……。一から英語の勉強を始める私には、途方もなく長い道のりに見えた。

そこで、私は、突然テストのための勉強をやめた。

いったん、TOEFLの問題を解くことをあきらめたのだ。自分の実力からして「できなくて当然」のことに挑戦したら、当たって砕けて打ちひしがれてしまうのは目に見えていた。カナダの家族も、私の英語力では大学などすぐに入れるはずはないことを見越していた。とりあえず毎日楽しく暮らすほうがよいだろうという、自然な結論に落ち着いた。語学習得は、一日にして成らず。時間がかかることを受け入れて、試験勉強を保留の状態にした。

◎毎朝1枚、おばあちゃんの単語カード

しかし、家族はさりげなく協力的だった。朝起きると、おばあちゃんからの1日1単語が書かれたカードが、キッチンのテーブルにおいてある。起きたらそれを取って単語の意味を確認して覚えることになった（ジーンおばあちゃんは、勉強の手伝いをするというより、そうすることで、私が部屋の中で寝過ごしていないか確認するシステムをつくったようだったが……）。

そのカードには、たとえば「ceiling（天井）」とか「cushion（クッション）」とか、多分身の回りを見て思いついたであろう易しい単語が多かった。どれも日常頻出単語で、お

そらく私に知っておいてほしいものを書いたのだと思う。たまには「reservoir（貯水池）」など、もともと英語じゃないよそれ！　という単語もあったが、毎日、単語カードをキッチンに取りにいくのは、おばあちゃんの気遣いに応える私の義務であり、起きるモチベーションにもなった。

おばあちゃんの単語カードは、図のように、縦横に碁盤の目をつくる要領で、コルクボードに貼り付けて覚えていった。これらのカードの意味は、分からない時は電子辞書の英和で調べ、日本語での読み方や意味を書かずに、覚えるようにした。日本語を併記しないのは、できるだけ自然な形で、目に飛び込んできた英単語の意味を認識するためだった。そして、単語を見慣れて、その意味を自然に覚えている段階にくるまで、コルクボードに貼り付けておいた。トランプの「神経衰弱」と呼ばれる遊びの要領で、単語もトランプのように並べて、ビジュアル化して覚えることを思いついたのだった。

また、よくカードを見ると、たまにaという冠詞がついていたり、名詞が複数形になっていたり。その単語の使い方に沿った形で書かれていた。それだけではない。名詞は名詞でも、最初の1文字が大文字になっていたり、そういう一見小さなことも英語のネイティ

おばあちゃんの単語カード

ceiling	a cushion	reservoir
a radio	truth	Chef
a million	lemonade	stumble
forever	incredible	illusions
biology	a supermarket	a sense

ブにとっては重要な意味があるらしいことに、カードを集めていくうちに、だんだん気づき始めた。そうやって毎朝、おばあちゃんからの新しい単語の意味を確認して、部屋のコルクボードに貼り付け、学校へ出かけた。

私のホームステイ先の真正面の家にも、ホームステイしている学生がいた。彼女は、メキシコからの留学生だった。レティシアという名前で、みんな「レティ」と愛称で呼んでいた。私は、その同年代の留学生と一緒にバンクーバー市内の私立の英語学校に通うようになった。もともと朝起きるのは得意だったが、それでも、だらだらと寝てしまうのは簡単である。私の場合、おばあちゃんの単語カードを取ることと、学校に通う同年代のクラスメートとの待ち合わせで、遅刻しない・寝坊しないシステムが自然と確立していた。

学校に着くと、午前と午後にクラスが一つずつ。レベルはかなり低いところからのスタートだった。そこからTOEFLの基準点に達するまでは、1セメスター（学期）に1レベルずつ上げていくとすると、8セメスター、つまり2、3年はかかってしまう計算だった。それくらい最低のレベルから、私の英語勉強は始まった。

SUMMARY

私の勉強法1

英語の勉強への取りかかりは、簡単な日常英会話から。一言ひとこと、新しい表現に出会うたびに、その表現を取り巻く状況からその意味を判断し、徐々に言葉に慣れていった。ふだんの生活すべてが、勉強の材料だった。

また、最初はあまりにも英語のレベルが低かったので、いったん試験勉強をあきらめ、焦らずにゆっくり準備をすることにした。教科書の英語の丸暗記やTOEFL攻略法といったテクニックにとらわれずに、目の前にある生きた英語を観察し、たどたどしくも、とりあえず使ってみることで、英語を自分の言葉にしていった。そうやって生活しながら勉強し、精神的に追い込まれることなく英語に慣れていった。

さらに、最初の「独立宣言」をしたカナダ短期留学の時点で、日本の高校から第一志望の大学へ進学するという優等生のレールからは外れていた。そこで、「いつもマイペースで、楽しみながら生きていく」、そんな自分らしい生活が、誰にも気兼ねなくできるようになった。他人と競争もしないし、他者の評価にも惑わされないようになった。

自分にとって大切なことは何か。カナダで、それを追い求めることにこだわるようになった。こうして、それから先の勉強法にも通じていく私の基盤、「のんびりのびのびと、好きなことを追求していく」楽天的な姿勢が、この時期に生まれたのだった。

☆今しないと後悔すると思うことは、何がなんでもやってみる
☆身の回りの英単語を、ビジュアル化して暗記する
☆テスト勉強は急がば回れ、自分の手が届くところから
☆大きな壁は、回り道をゆっくり歩いて乗り越える
☆言語の習得には時間がかかることを受け入れる

英語力向上ののびのび作戦

今までは、カナダとアメリカの英語。ここでは、イギリスの英語。バンクーバーの、ジーンおばあちゃんを思い出す。

7月5日

子供向けテレビ番組で基礎の基礎を覚える

英語学校のＴＯＥＦＬ講座は、いわゆる模試のような、サンプル問題を解くタイプのクラスが多かった。実際の時間内で問題を解いたり、並んでいる選択肢についての説明があったり。日本の大学入試のための英語講座とあまり変わらなかった。

しかし、そのようなテクニック中心の勉強法は、英語のレベルが低すぎる人には向いていないというか、無茶だった。解けない問題に臨み、落ち込むだけ。私にはよくないと思った。

そこで、家でのＴＯＥＦＬの勉強のみならず、学校でＴＯＥＦＬ講座を取るのもやめた。時間が経てばなんとかなるとだけ信じて、再度、完全にきっぱりと、テスト勉強をあきらめたのだった。

英語学校は、ＴＯＥＦＬ特講クラスを取らず、文法と会話の１コースずつに絞った。毎日午後2時には授業が終わるので、その後はクラスメートと、ダウンタウンのコーヒーショップに行っておしゃべりをした。日本人、韓国人、メキシコ人が多く、みんな英語勉強中の身だったので、学校の先生と話すより気楽に英語が使えた。コーヒーショップのほうが、会話がはずんだのだ。クラスルームのように先生が文法の間違いを見張っていないので、プレッシャーもなく、みんなも私も楽しく言葉を使っていた。

そして5時半には家に帰って、スティーブンとテレビを見た。子供用のカトゥーン（まんが）ばかりが24時間放送されているカトゥーンＴＶで、スティーブンも私も大好きな番組が始まるのが5時半だったからだ。『リスの戦い』というニックネームで呼んでいた番組を一緒に見るのが、私たちの日課だった。私は、スティーブンのために、早めに家に帰っていた。

留学生らしく図書館に行ったり、家に帰ったらＴＯＥＦＬの模試の本と熱心に向かい合ったりすべきところ、私は子供と子供用のテレビ番組を見ていた。のん気すぎる！　と叱られそうだが、しかし、実は、それこそが、英語上達への早道だった。

スティーブンが見るテレビ番組には、複雑な問題や表現は出てこない。番組では動物や車が、比較的ゆっくりしゃべっている。見ていると、口の動きに頼らなくても音から英語を聞けるようになってきた。テレビの画面から会話の状況を理解し、聞こえてくる音を「聞き取る」。ラジオやＴＯＥＦＬの聞き取りでは、状況が目に見えないまま英語を聞き取らなくてはいけない。それが無理な私には、状況だけが目に見えて、その視覚情報を踏まえて英語の音を真剣に聞く、それこそが聞き取りを上達させるコツとなった。そうやって、毎日、カトゥーンを見ながら、３歳くらいの子供に必要な日常会話の基礎中の基礎を無理なく覚えていった。

当時、語学学校の友人たちは、カナダやアメリカで人気のドラマやコメディのリスニングに挑戦して壁にぶち当たっていた。私も、そういう大人の会話についていければカッコいいとは思ったが、そこで背伸びをしなかった。カトゥーンは、話が単純である。そして、基本的に明るい題材が多い。さらに、子供に与えたい希望にあふれた作品が多い。そのため、ポジティブな気持ちで英語に向かい合える。どんどん英会話を聞き取り、状況に応じた言葉の選び方を学んでいった。初歩から英語を始める人は、テキストブックに頼らず、子供向けカトゥーンを徹底的に試してみるのもいい方法だと思う。お薦めである。

◎会話がスムーズに進むリピート戦法

やがて、『リスの戦い』も終わり、夕ご飯の時間になると、ダイニングテーブルに家族みんなが座り、フィリップとアリソンが私に話しかけてくる。二人は、ディナーでの会話は、私にも分かるようにゆっくり話をしてくれていた。それなのに、うまく会話ができない。たいていの場合、質問が分かっても答えがすぐに言えず、ぎこちない状況になってしまうのだった。

しかし、そこで黙り込んでしまうと、せっかくの会話が台無しなので、聞き取れても、自分の答えを考える間に、質問を繰り返すようにした。たとえば、

Did you have a good day?（いい1日だった?）

と聞かれた場合、

Did I have a good day……?（私……いい1日だった？）

と、いったん、主語とイントネーションを若干変え、文を言い換えて繰り返したのだ。するとそこで自分がとんちんかんな理解をしていたら、家族は、あ、そうじゃなくて……と説明してくれるし、もし文章が合っていれば、その後に答えを続けてくれる。

そうすると、答えを考えている間に会話の空白ができない。質問の答えを考える間にあーとか、うーとか言っていると、会話が途切れる。相手を待たせてイライラさせてしまう。そこで、このリピート戦法で、みんなの会話の雰囲気を壊さないように心がけたのだ。

それだけではない。後々この方法は、私をいろんな場面で助けることになる。分からない文章を聞き直すのに、Excuse me? とかPardon? とかを連発すると、質問する側は質問の仕方がまずかったのかと思い、使った単語や表現をわざと変えて問い直してくる。すると、質問文が大幅に変わるので、余計に分からないことが増える。会話が余計に混乱するのだ。たとえば、次のシンプルな会話について考えてほしい。

【例1】アリソン：Where did you go today?
私：Pardon me?
アリソン：Did you go to see your friend Meg today?
私：?..?..（行く、見る、メグ。キーワードが多すぎて、理解不能になる）

【例2】アリソン：Where did you go today?
私：Where did I eat today……?
アリソン：Oh, where did you GO today?
私：I went to Meg's house!（見事正解！）

【例2のカン違い版】
アリソン：Where did you go today?
私：Spaghetti!
アリソン：So, you went to eat at Lonsdale Quay?
私：No, I went to Meg's house!

アリソン：……⁉

（スパゲッティをメグの家でご馳走《ちそう》になったのか、という理解になる）

そんな、ありえないようなたとえ！　と笑うかもしれないが、初心者が、英語環境デビューすると、こういうとんちんかんなやり取りは日常茶飯事になる。

しかし、相手の文章をリピートすることで、コミュニケーションが格段に面倒でなくなる。相手が言ったことを主語だけ変えて繰り返すと、どこでミスアンダースタンディング（誤解）が生じているか、自分の理解度が相手に伝わるからだ。どの単語で私がつまずいているのか、何が分かっていないのかを、相手に気づいてもらえると、無駄な聞き返しがなくなるわけである。リピート戦法は、絶対にいい英語習得法であると、今でも思う。

◎身振り手振りだけでもコミュニケーションはできる

さて、夕食の後は皿洗いをして、アイスホッケーの練習に出かける。近くのリンクで1時間、みっちり滑る。地元のホッケークラブなので、過激な運動というほどでもない。シーズン中以外は試合をしないので、毎日の練習はそんなにきつくない。私は、家から近いそのクラブで、英語ができないストレスを全部発散させていた。

コーチの指示はジェスチャー付きで、実に分かりやすかった。広いリンクでは、声が届かないことが多いので、言葉よりも身振り手振りから指示を受け取る。英語に頼るというよりも、全身でコミュニケーションをしていくわけだ。

コーチやチームメートのかけ声を瞬時に察知して、チームプレーをこなすためには、神経をとがらせて、人の動きをよく見ていなければならない。何周リンクを走るのかとか、パス回しの練習のペアリングとか、コーチの指示を正確に受け取って練習の足手まといにならないよう、周りの様子を見ながら、場の雰囲気になじむように努力した。

そして、ホッケーの練習のおかげで、言葉が分からなくても、状況から意味を読み取ることに慣れていった。身振り手振りだけでも、なんとかコミュニケーションはできるのである。それに気づき、英語のできなさにむやみに悩むことがなくなった。いざとなったら何事も体当たりで大丈夫らしい！　と思い始めた。

◎絵本の読み聞かせと子守唄で反復学習

ホッケーの練習から帰ってくるとシャワーを浴びて、スティーブンを寝かせる。ここで登場するのが、絵本の読み聞かせと子守唄である。3歳児を寝かせるのは、なかなか手強《てごわ》い。絵本は1冊ではきかず、だいたい2冊、悪くて3冊は読まないといけない。

するとこれがまた、私にはいい英語の勉強になった。寝る前の絵本は、ゆっくり読んであげるのが基本。英語学校で、例文をナチュラル・スピードで読むのとは違う。さらに、難しい単語はあまりなく、じっくりゆっくり読んであげることで、自分にとっても、ずいぶんいい英語の勉強になった。

しかも、家にある絵本は20冊程度。それらを毎日ローテーションさせて読むので、1回目よりも2回目、2回目よりも3回目と、だんだん読むのが上手になっていくのが自分でも分かった。絵本の読み聞かせを繰り返すことで、英語を読むことに関して多少の自信が生まれてきた。

子守唄も、英語で歌えるレパートリーがなかったので、家にあったCDを流した。すると、自分のリスニングにもなって、心地よく英語の歌を口ずさめるようになった。歌が歌えるというのは、これまたすばらしいスキルである。一般的に、英会話中級くらいになっても英語で歌を歌うのは難しいという。紙面で英語の勉強をして英語を使う人と、自然に英語をあやつる人の言語能力には、このような時に差が出る。私の場合、子守唄を歌いながら、長母音や微妙な発音を聞き分けられるようになっていった。

スティーブンが寝ついたところで、やっと自分の宿題の時間がくる。その頃にはもう夜も遅いので、あまり時間をかけずに次の日の宿題だけをこなすようにした。

このように、1日の机での勉強は2時間そこそこで、生活に必要な言葉、周りになじんでいくための英語を、習得していった。ここで紹介したどの方法も、高校までの受験勉強のスタイルとは180度違ったけれど、カナダで暮らしていく上で、私を実際の生活でも精神面でも効果的に助ける英語習得法だったと思う。

◎話せなくてもいじけず、笑顔で会話に加わる

一緒に通学していたお向かいさんのレティは、私よりはずいぶん話せるものの、それでも、英語学校でのレベルは低く、決して英語が上手とは言えなかった。しかし、彼女は、いつも笑顔で、英語の上手下手をまったく気にせずに、誰とでも積極的に話していた。どこに行っても、必ず、率先して会話に入っていったのだ。

その立ち回りぶりは圧巻で、私の眠っていた行動力を湧き立たせた。それまで私は、英語がまったくできない状況だったため、家族以外のメンバーとの食事やパーティーの時間

が実に苦痛だった。テーブルを囲んで座ってしまうと、食べ終わるまで、話に参加していなくてはならない。分からないからといって黙っていると、その分だけ早く食事が終わってしまい、今度はみんなが食べ終わるまで話をする側に回らなくてはならない。実に、実に、面倒だった。

パーティーは、特に気まずい。パーティーでは、みんなはしゃぐのが基本だ。私が黙っていると、もしかして具合が悪いのか？　と周りが心配してくれることが多く、困りものだった。

そこで、思いきってレティのように振る舞うことにした。メキシコ仕込みのフレンドリーであったかい笑顔でなんでも切り抜ける様子は、確実に周りをハッピーにさせている。私も、そんなふうになりたいと思った。

英語が分からなくても、積極的に会話に参加していく。そう心がけると、話せないからといっていじけて、自分の中に閉じこもって周囲の雰囲気を壊すより、はるかに感じがいい。何よりも、自分の気持ちが晴れ晴れした。

それから、いろんな場面で、分からないことは多いなりに、自分もその場の一部であることにこだわるようになった。英語の下手さやアクセントを気にせずに、その場にいる時間を楽しむことに専念した。レティのおかげで、英語が飛び交う異文化の交差点に立つことを満喫できるようになった。

◎試験勉強ゼロでTOEFL基準点を突破

そんなふうに暮らしているうちに、英語は格段にうまくなり、半年を過ぎた頃、無事TOEFLが基準点に届いた。TOEFL問題集を使うような試験勉強は一切しなかったが、なんとかなるものだ。

「半年で、本当に?」「問題集も解かずに?」と、疑われるかもしれないが、日々暮らしていくのに必要な英語から順番に身につけると、TOEFLの点数はぐんと上がる。カナダに行った直後に、問題集にこだわらずにいてよかったと思う。ある意味、あきらめが早くて助かった。「急がば回れ」ということわざがあるが、さっさとあきらめることで余計なストレスをためず、ゆっくりと環境になじむことに徹して、英語を習得できた。なんともペインレスな英語能力向上作戦だった。

振り返ると、留学生として海外に行く場合は、焦りが大敵だと思う。本当に英語を身につけたいのであれば、英語で生活することに徹してみるのがよいと思う。日本にいながら資格のためにするTOEFLの勉強や、受験勉強とは違って、英語圏にいて勉強する時は、地の利を利用して、楽しみながら英語を自分の言葉にしていくのが、TOEFLの基準点を超える一番の近道なのだ。

◎勉強開始後1年、晴れてカナダの大学に

バンクーバーのブリティッシュ・コロンビア大学は、TOEFL以外のテスト、いわゆる「入試」がなかった。試験のかわりに、カナダで勉強したい理由を書いた2ページくらいの長さのエッセイと、高校の卒業証明書の英語版などの簡単な書類を提出した。さらにカジュアルな面接が数回あった。それ以外は、「入るのは簡単、出るのが難しい」というのが、当時のカナダの大学のスタンスだったので、入学のための学力試験のようなものはなかった。新入生をたくさん受け入れ、卒業するか途中でドロップアウトするかは本人次第というのが、大学のポリシーだったのだ。

そこで、私の場合も、TOEFLの点数が基準点に届いた時点で、大学に出願した。大学の入学の時期も、日本と違って年に3回あったので、春頃に、夏からの入学ができるように準備をした。すると、さすがに「入るのは簡単、出るのが難しい」カナダの大学。私

にも入学許可をくれた。そうやって、英語の勉強を始めて1年後に、無事大学に入ることになる。

もちろん、大学に入っても、勉強についていけなければ学位がもらえないので、入学した時点では喜んでいる場合ではない。卒業できる保証がないからだ。まじめに大学に通い、課題をクリアし、単位をそろえてこそ卒業ができる。なかなか厳しい状況ではあったが、だからこそ、大学での勉強に没頭できたようにも思う。次の章からは、大学での勉強の話をしてみたい。

SUMMARY

私の勉強法2

カナダで過ごすこと1年。フィリップとアリソンとの大人の会話、同世代のレティや友人との会話、スティーブンの3歳の英語、テレビと絵本と子守唄で、ずいぶん幅広いコミュニケーション能力が自然と身についた。

大学生になってからも、対人関係においてごく自然に暮らしていけたのは、テストの点数のためだけの学習をするのではなく、ふだんからさまざまな年齢層とアクセントの英語を経験していたからだと思う。私は、毎日英語に悩むのではなく、ハッピーに暮らすことにこだわった。日常生活で自分を表現するために必要な英語、目の前にある生きた英語をつかみ取ることは、何よりの勉強になった。自分の幸せのレベルを保つこと、家族や周りのみんなの幸せのレベルを上げること、その二つを目標にすれば、英語は楽しく勉強できる。決して苦しい勉強にはならない。

そして、なんというめぐり合わせだろうか。イギリスでは、今まさに、毎日ジーンおばあちゃんの英語で暮らしている。以前は苦労したブリティッシュ・アクセントも、おばあちゃんとの会話のおかげで、まったく問題ない。10年以上前のホームステイ先の英語環境に、イギリスに来た今、再び感謝しているところである。

☆最初から試験問題に取りかからず、まずたくさん英語を使う
☆絵本と子守唄で自然な英語を学ぶ
☆リピート戦法で会話のぎこちない間をつなぐ
☆いざとなったら身振り手振りだけでなんとかなる
☆いろいろな世代やアクセントの英語に触れる

第2部

カジュアルに、エンドレスに勉強する

～カナダ・ブリティッシュ・コロンビア大学・留学編～

自分に合った勉強法

川のそばに戯《たわむ》れるアヒルの群れの近くで午後を過ごした。カム・リバーは、平坦で波もない。川の上を、ボートが行ったり来たり。こんなふうに水辺に座って、浮かぶものを見ているのが好き。そして、時おり現れる、虹が好き。

7月7日

「頼れるのは自分だけ」と覚悟したら楽になる

ブリティッシュ・コロンビア大学（ＵＢＣ）は、バンクーバーの西側にある大きな島一つがそのまま大学の敷地というマンモス校である。当時から相当数の学生が在籍していた。学校にはバスで通った。時間的にはバンクーバーのダウンタウンから40分ぐらいだが、途中に長いゴルフコースがあるため、地理的にはかなり孤立した場所にある感じがする。

ＵＢＣでは、理系志望なのか文系志望なのか、入学の際に一応そんな区切りがあった。

もちろん、後で変更は可能だったので、高校まで理数科だった感覚を引き継ぎ、とりあえず理系志望にした。実は、数学科の1、2年生のコースには英語のエッセイの課題がなく、英語力があまり問題にならない。まだ英語に自信がなかったので、願ってもないことだった。また、他に気になっていた科目もなかったので、とりあえず理系にしようと思ったのだ。本当の専攻は2年目の終わり頃に決めればよかったので、入学の時点では、気楽に理系に進むことを決めた。

大学に入ると、さまざまな国からの移民や留学生と出会った。英語が母国語でないのは私だけでなく、学生はもちろん、教授たちも、第二外国語としての英語を普通に堂々としゃべっていた（とりわけ物理の先生の英語は、今考えても衝撃的だった。多分、あれはほとんどフランス語だった……）。そこで、私も、依然として下手な英語を気にせず、どんどん話をしていった。

大学での授業は、相当ハードだった。英語がネイティブの先生の授業は、話が格段に速いし、次々と知らない単語が出てくるし……。それでいて、毎日宿題をこなさないと単位はもらえない。大学生になってまで家庭教師をつけるわけにもいかないので、「この世に頼れる人は自分しかいない！」と、最初の2日で実感、確信した。

その覚悟がいったん決まると、後はあまり辛くなかった。自分しかいないというのは、裏を返せば、自分が自分の責任でできる範囲のことをやればいい、自分が試験で悪い点を取ろうが、誰にも迷惑はかけない、ということだ。なので、自分で学びたい科目を、自分のキャパシティの限界までMAXの力で勉強することを目標にした。そうすると、テストも怖くなくなった。たとえ悪い結果が戻ってきても納得できるからだ。大学での勉強は、自分のため。そう思って、自分の勉強したいことを、のんびりのびのび、思う存分するよう徹底した。

◎ノートは1回の授業でA4白紙1枚

大学での勉強の内容は、思いのほか楽しいものばかりだった。大学1年目で一番気に入ったのは、生命科学のクラスのカンニングペーパーづくりだった。生物学科のバービー教授は、授業で出てくるマッシュルームのラテン語の学名が長く、それを覚えさせるのはかわいそうだと思ったらしく、生徒は試験の時に一人1枚はカンペを持ち込んでよし、というルールをつくっていた。この先生がカンペをつくらせてくれたおかげで、私は効率よく勉強できるコツをつかんだ。

何がコツなのかというと、自分に合ったノートの取り方を編み出したのである。私は、これまで基本的にノートを取らずに、黒板やスライドをそのまま覚えてきた。中学の時も高校の時も、黒板の内容はできるだけノートには書かず、その場で板ごと丸暗記してきた。

カメラで写真を撮るような記憶の仕方という説明がされる、この暗記法。たとえば黒板に書かれていったことを、そのままの位置で、書き写す作業をせず覚えるのである。練習したこともなく、そんな記憶法のマニュアルを読んだこともなかったが、私はずっとこれでやってきたので、きれいにノートを取るスキルを、もともと持ち合わせていなかった。そこで大学に入ってから、ノートの取り方を工夫する必要が出てきたのだった。

大学の授業には、ノートのかわりにメモ用に白い紙を持っていた。なぜ白い紙なのか。それは、このカンペづくりのアイディアを元にしたもので、とても使い勝手のいい方法だ。英語環境で生き残るためのノートの取り方の一案としてご紹介したい。

ノートには、いろんなサイズやブランドがあるが、たいていは罫線が引いてあるのではないかと思う。カナダにもいろいろなノートがあり、実験用など特殊なものも含め、学生の必需品だった。今やノートはパソコンにかわってきているが、その場合でも、タテ書きかヨコ書きかのファイルに、授業の内容をタイピングしているだろう。それは実質的には紙のノートにメモを取っているのと同じだ。

そこで重要なのは、タテでもヨコでもいい、線が入っているノートや、パソコンの場合だったら、線に沿って文字を入力していく方法、それ自体をやめることである。

英語がまだ完璧《かんぺき》でないうちは、いざとなったらどうしても日本語を交えて書かなければいけない。それは、メモの中にメモを入れる作業が必要になるということであり、線があるとかえって邪魔なのだ。また、きれいにノートを取ろうと、線を気にしていると、授業がどんどん進んでいき、ノート取りは一層混乱を極める。あるいは、たくさんノートを取ろうと張り切りすぎると、ノートが10ページを超す膨大な量になり、復習が辛くなる。

そこで私は、自宅のプリンターから真っ白な紙を数枚取って学校に持っていった。ノートを取る時は、1回の授業で1枚。どんなに長い授業であろうが、難しい科目であろうが、ノートは紙1枚に限定する。そうすると、膨大な情報量に圧倒されずに、今日何が起こったのかがまとまった形で見えてくる。コンパクトにまとめることが、カンペの基本だ。

そして、分かることは極力ノートに書かない。カンペとは、分からないことをこっそりとできるだけ短くメモっておく代物で、すべてを書いておくものではない。バービー教授の試験でカンペをつくった時、「分からないところ」を特定し、そこだけ紙に書くことを学んだ。それをふだんの授業にも生かして、ノートには、分からないことだけを書くようにした。

話についていっている時は、授業の骨組みのみ、時系列でぽつぽつ書いていくことになる。すると、授業の概要が一覧できるだけでなく、本当に分からないことや聞き取れなかったことが、その日の授業のどこで出てきたかも一目瞭然となる。

ノートには、授業内容すべてを記録しなくていい。授業で分からなかった「自分にとって空白の部分」さえ、後で抽出できればよいのだ。また、綴りの分からない単語は、カタカナで脇のほうに書いておく。すると、その他の情報と混ざらずに、いい形で授業の大筋をつかむことができる。

ヨコ書きの英語であろうがタテ書きの日本語であろうが、白い紙は万能である。好きなように使える。その上、分からなくなった空白が、「空白」そのものとして見えるので、問題部分がはっきり際立つ。英語環境での大学生活で、白紙のノートへのメモ書きはとても有効だったので、お薦めである。

このノート取りの方法には、もう一つ利点がある。友人に「ノートを貸して！」と頼まなくていい。授業後の会話で、いかにも賢そうに、今日の授業のどことどこの間の話なんだけどと、ピンポイントで分からない部分を聞き出せる。左ページの図で「Ask CP（友だちのCPに聞く）」と書いてある部分が、友人に聞きたいところだ。

そうすると、クラスメートにノートの貸し借りのネゴシエーションをせずにすむ。友だちは友だちで、自分のためにノートを取っているのだから、私に見せたくもないだろう。実際、ノートを貸してなんていう大学生は周りにいなかった。でも、分からない点を、ランチの時に口頭で聞くのなら、まったく問題ない。ノートの貸し借りで友だち関係を損なうことなく生活できる。

◎課題が効率的にこなせるプロダクティブ・ノート

さらに、この白紙のノートは他にも利点がある。1枚の紙に全体像がイメージとして残ることで、ゼロからエッセイを書く時やプロジェクトのプランを立てる際、今度は自分がつくりたいものの全体像が見えるようになる。白紙のノートは、授業内容の記録という意味を超えて、自分の頭の中の整理《せいり》整頓《せいとん》に役立つ。箇条書きの完璧なノートをつくるよりは

物理の授業で取ったノート

July 7th

Review $f=\left(\frac{c+v_r}{c+v_s}\right)f_0$

$f=\left(1-\frac{v_{s,r}}{c}\right)f_0$

Doppler effect

$\Delta f=-\frac{v_{s,r}}{c}f_0=\frac{v_{s,r}}{\lambda_0}$

Speed

ex1)

Relativity p.112 ex2) Ask CP

ex3)

Cancellation

Sound vs. Light

ex1)

Relativity p.120 ex2)

ex3)

Homework

pp.123-126

「分からないこと」が分かればOK!

July 7th

授業の見出し・小見出しを時系列で書く

Review

Doppler effect

Speed

Relativity

Cancellation

Sound vs. Light

Relativity

Homework

$$f=\left(\frac{c+v_r}{c+v_s}\right)f_0$$

最重要な公式など

$$f=\left(1-\frac{v_{s,r}}{c}\right)f_0$$

$$\Delta f=-\frac{v_{s,r}}{c}f_0=\frac{v_{s,r}}{\lambda_0}$$

ex1)

p.112 ex2) Ask CP

ex3)

この例題3の部分が不明。
あとで友人CPに聞くよう
目印をつける

ex1)

p.120 ex2)

ex3)

pp.123-126

宿題のページなど
次回に必要な情報をメモ

るかにプロダクティブなのである。

たとえば、英語作文の基本中の基本として、大学で習うアカデミックライティングという方法に応用してみると、次のようになる。


アカデミックライティングとは「論文の書き方の基礎」「論文の骨組み」と考えてもらうとよい。大学の英語のクラスで最初に習う、英語論文の構成方法である。パラグラフの組み方や、全体の構成。エッセイのどの場所に最重要な議論のまとめを書くのか。また、パラグラフの内容を一文にまとめたトピックセンテンスや、効果的な構成方法などを学ぶ。

そんなエッセイの宿題が出た時も、ノート取り同様に1枚の白い紙を持ってきて、書く順序や言いたいことがまとまるように構想を書き出し、全体像をつかんだ上で、実際に文章を書き始める。そうしておくと、作業中も自分が現在どの部分を書いていて、あとどれくらいの仕事量が必要なのかを随時見積もれるという利点もある。白紙のノート取りを、そのまま応用して、効率よくエッセイを書くことができるわけだ。

とにかく、やっと分かり始めた英語の授業を聞きながら、それまでの日本の学校と同じようにノートを取ろうというのは無謀である。やってみても、序盤で力尽きるか、できず

このメモ1枚で作業が効率的になる

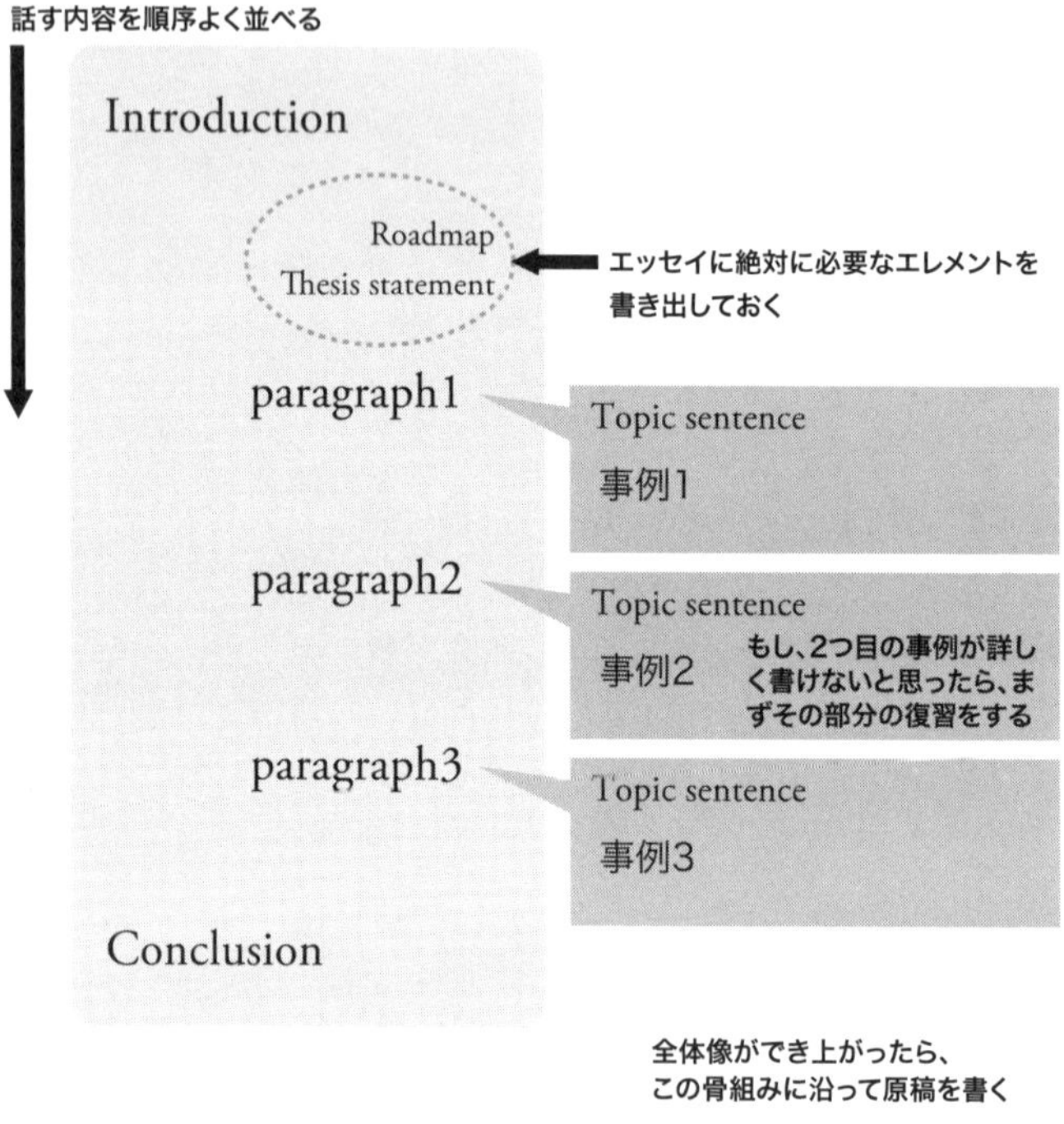
話す内容を順序よく並べる
Introduction
Roadmap
Thesis statement
エッセイに絶対に必要なエレメントを
書き出しておく
paragraph1
Topic sentence
事例1
paragraph2
Topic sentence
事例2
もし、2つ目の事例が詳しく書けないと思ったら、まずその部分の復習をする
paragraph3
Topic sentence
事例3
Conclusion
全体像ができ上がったら、
この骨組みに沿って原稿を書く

に打ちのめされるだけで、前に進めない。そうやって自らを苦しめている留学生をずいぶん多く見た。どう考えても、しなくていい作業を自分に課して、自分のできなさに落ち込み、周りから自分を突き放していっているようだった。

あなたの友だちは、あなたの完璧かつ緻密なノートなんて、気にしていない。むしろ、授業に集中してノートを取らないほうが、カッコいい。これから留学する人や外国で仕事をする人には、ノートを取らない快感とその効率のよさを味わってほしいと思う。

◎記憶力関係なし、メモを取らない記憶法

できるだけメモを取らなくなったら、今度は授業の内容を思い出す練習に入る。ノートを取る人は、ノートを頼りにして復習するが、ノートを取らない人は頭の中で情報を反芻《はんすう》(反復を何度も繰り返す)することになる。そう言うと、とてつもなく難しい特殊なことをしているように聞こえるが、まったくそうではない。

ふだん、休憩の時間に友人や同僚が話している内容は、メモを取らないはずだ。聞いているだけでメモを取らなくても、目の前の二人がおもしろい会話をしていたら、どんな言葉が行き交ったかを後で思い出せるに違いない。ましてや、そのおもしろさを誰かに電話

して伝える時は、話を短くして簡潔に伝えきれるはずだ。同じことが勉強になるとできないというのは、単なる思い込みである。勉強をおそれる気持ちが働いてしまうからかもしれない。

たしかに、日常会話と学校の勉強では明らかに違う点が二つある。一つは、先生が新しい情報を一方的に話していること。そして、二つ目に、先生の話に必ずしも興味があるとは限らないということである。そこで、その2点をどう自分の頭に「ごまかすか」がポイントになる。

一つ目の点を克服するには、ノートの取り方の時にも触れたが、最重要なことと新しい情報のみを特定して、その部分を覚えることに集中する。そして、二つ目の点は、おもしろくないものは覚えようとせずに、逆に、おもしろくないものは忘れてしまえ、と切り返す。すると、とりあえず、おもしろい点（重要点）とおもしろくない点（さほど問題にならない話）の分別が格段にはかどる。

頭の中で「重要な点だ」と認識した瞬間、それは記憶に残る。つまり、これは重要だと、自分が思い込めるか思い込めないかで、記憶に差が出る。気の持ちようでなんとでもなるもので、その情報整理を習慣にすれば、どんな内容の授業でも、もっと簡単に暗記ができるようになる。

では、実際にどうやって重要な部分を決めるか、少し例を挙げて説明しよう。まず、昨日学校で習ったことや、昨日の会社での仕事の内容を思い出し、全体的に何がどう進んで、結局何が重要だったのか、頭の中だけで整理することを試されたい。

学校だったら、昨日の2時間目の授業。仕事の場合は、朝10時から12時までの間を思い浮かべてほしい。頭の中で、その時間を復習してみるのである。

ここで、冒頭3分の言葉を一言一句思い出すのではなくて、まずは授業や仕事が終わった時点の心境を思い出す。たとえば、2時間目の授業で一番の目玉は、トピックAだった。しかし、その前後で、先生は、三つの方法を話された。では、その三つの方法とはなんだったか。一つ目がLで、二つ目がMで、三つ目がN。そんな要領で、冒頭からの復習ではなく、大事なことから小さなことに向かって、全体から詳細を思い出してみる方法を試されたい。

この例が分かりにくければ、もう一つ、こんなイメージ方法もある。旅行に行って、写真を200枚撮ったとしよう。時間順に並んでいても、それを友だちに見せる時は1枚目からではなく、自信作をいくつかピックアップしてシェアするだろう。そこで、200枚の中から、10枚を選ぶ要領で、重要なものと、まあまあどうでもいいことの仕分けをするのだ。

ノートなしで、頭の中で情報整理するのは、意外に簡単なものだ。だまされたと思って、自分もできると信じてやってみると、けっこうできるようになる。そんなのできないと思ったら、負け。何も始まらない。メモなしでも全部覚えられると、自分を信じてこなかっただけで、記憶力がないとか、そんなことは問題ではない。休憩時間のおもしろい会話が覚えられるレベルの記憶力しか、実際は必要ない。

◎覚えた内容を何度も思い出す時間をつくる

そうして、うまく記憶をたぐり寄せたら、その記憶を頭の中に保存しておけるかどうかが次なる課題となる。それを私は記憶の反芻と呼んでいる。とにかく何度も繰り返して思い出してみることで、記憶の保存が上手になる。そして、これも、記憶をたぐり寄せる作業と同様、試せば試すほど、うまくなる。

記憶の反芻という作業をしていると、一人でぼーっとしているような見かけになるので、静かで安全なスポットを見つけておく必要がある。私の場合、池のほとりや、川べりによく行く。ほどよい交通量のある、つまり人の目につくが、自分自身は静かになれる場所。そういう場所は意外とどこにでもある。バンクーバーの時は公園の池で、ニューヨークではハドソン川に沿ったリバーサイドパーク。東京でも、地方の街でも、公園やカフェはたくさんある。頭の中での作業、特に記憶の整理と反芻は、机に張り付いてするものではない。

　記憶の整理の手順の基本は、繰り返しになるが、まず何が一番重要だったのか、何が分かっていて何が分からないかをはっきりさせることだ。そしてなぜか思い出せないことと か、脈絡がつかめない議論などは、教材に戻って確かめる。つまり、記憶の整理というのは、単に覚えようとするだけではどうにもならず、重要な情報が前後の関係する情報とどのようにからまっているかを検討することが大切だ。そうすると、分からない点が、なぜ分からないのか、よりはっきり見えてくる。

　そんなふうにして、覚えるだけではなく、覚えた内容を何度も思い出す時間をつくるのが、大事なのである。覚えたからいいや、と授業の直後に思っても、数日後には忘れている場合が多いのは、積極的に記憶を反芻して定着させる時間を設けていないからだと思う。思い出す時間、つまり、記憶の反芻の時間は、勉強時間の中でとても大切なものである。

◎記憶の水辺から生まれた虹のプロジェクト

私は、水辺でこの記憶の反芻活動をしている時に、虹がとても好きだと気づいた。池の表面に、突然浮かび上がる虹のアーチの美しさ。それを見るだけで、自然って素敵だなと思う。私は、その虹の魅力にとりつかれ、数学科で代数幾何を始めた。大学での専攻をどうしようか迷っていた時期に、虹をコンピューター上で見られるようにするのはどうだろうと思いついたからだ。専攻を数学に決めるきっかけが、記憶の水辺で生まれたのである。

ちょうど、プリズムの屈折の様子を表した方程式を習った授業の後だった。光の入射角度と反射角度、媒体の屈折率によって、さまざまな光の通路がある。そのような光の分散の仕方は、目の前に現れた虹にも応用がききそうな予感がした。

そこで、プリズムの反射や屈折を表す方程式をプログラミングした時の応用のような感じで、虹のプログラミングを、卒論の内容にしてもいいですか？　と担当教官に聞きにいった。さほど難しい計算ではなかったが、それをゴーストスクリプト（現在ではとても原始的になった当時のソフトウェア）でプログラミングしてみたいと持ちかけたのだ。

担当の先生は、「あ、そうだね。虹は、きっと取り込めるね。ついでに2次の虹もつくるとよいね」と言ってくれた。そうか、たしかに、虹だけでは簡単すぎる。そこで、2次の虹（副虹）もプログラムに入れることになった。2次の虹も含めて、なんとか卒論と見なしてもらえるレベルの難易度と作業量と認めてもらえたようだった。

2次の虹は、はっきりした虹の外側に出る虹で、場所によっては見られる、めずらしいものだ。たいていはほとんど見えない、仮想のような存在だ。私はまずは物理関連の本で2次の虹が発生する条件を調べ、虹と2次の虹をプログラミングするプロジェクトを卒論の題材にした。

思い返すと、多分その先生も、虹のプロジェクトを気に入ってくれたのだと思う。会うたびに、虹のプロジェクトは進んでいる？ と、声をかけてくれた。

SUMMARY

私の勉強法3

きれいにノートを取ることは、勉強ができることに直結しない場合もある。ノートに取った時点で忘れていくことは多いし、ノートという存在に甘えてしまうからだ。

また、せっかくノートを取っても、ノートを復習する時間がなかったり、ノートを見返す手間を面倒くさがったりしてしまうのは、ありがちなことだ。ノートを取らずに自然な記憶力に頼るほうが、実はよっぽど効率がよかったりもする。私の場合は、ノートの取り方を工夫することで、英語環境での勉強ができるようになった。ぜひ、自分に合ったノートとはどんなものか、私のやり方も参考にして、実際にノートを自由に使ってみて、試されたい。

イギリスに引っ越した今も、相変わらずノートを極力取らず、記憶に頼るようにしている。そのため、記憶の反芻には多くの時間が必要である。カム・リバーのほとりや、家の近くのパーカーズ・ピースという大きな公園のベンチでのんびりしている。新しい街でも、今日は虹が現れるかと期待しながら、アヒルを横目にじっと座って、記憶を鍛えている。今でも記憶の反芻活動を続けている私にとって、机の上でもパソコンの前でもなく、近所の川辺が勉強に最適な場所なのだ。

☆大学に入ったら「頼れるのは自分だけだ！」と覚悟を決める
☆無駄のないメモ取り、自分のためのノートづくりをする

☆詳細よりも全体像を把握するよう心がける
☆きれいなノートより、自然な記憶力が役に立つ
☆記憶で大事なのは重要なことと重要でないことの「情報整理」

4：3のタイム・マネジメント

家の近くで、クッキングとお絵描きのレッスンがある。8月からのクラス。満員になる前に申し込む。

7月8日

◎考える道筋や回り道にこそ意味がある

カナダの大学での数学は、本当に楽しかった。自分で決めた卒論のテーマである「虹のプログラミング」のために勉強するのは嫌でも苦でもなかった。紙には描けない立体の虹を、私は毎日頭の中で空想した。プログラミングの方法をあれこれ考えていった。

数学のクラスに行くと、点と線と空間を自由自在に黒板で操る先生たちが次々と登場する。数学的な理論や技術、目の付けどころ、探究心、無から有をつくる創作意欲。黒板に書く文字より先に回転しているだろう頭の中が目に見えて、スリルがあった。あまりノートを取らずに、状況を眺めている私には、数字の知識が舞う空間に居合わせることが、実に爽快だった。私は数学が本当に好きになった。

しかし、数学の全部のクラスで優等生だったわけではない。できがよくなかったクラスもあった。それでもなんとかやっていけたのは、どうしてだろうか。

それは、先生たちの評価において、テストで答えを導けなかったということと、ダメな学生であることとの二つに、あまり相関関係がなかったからだと思う。私は、完全な答えに完璧にたどり着くような数学の天才ではなかった。しかし、「その考え方はスゴい！」とよく言われた。考える方法、切り込む角度が変わっていたらしいのだ。

数学のテスト用紙は、解答の欄が広い。一問を解くのに、答えだけ書いても満点はもらえない。考えたプロセスやロジックを順々に並べて書き、そのような、解の導き方に部分点が設けられていた。最終的な結果が間違いでも、真剣に取り組んでいいところまでたどり着けば、部分点がもらえる。また、教えられたとおりの解の導き方でなくても、部分点がついてくる。私は、他の学生とは違う解き方をしてしまうタイプだった。そのため、解答用紙に残っている私が考えた軌跡がおもしろいとポジティブに受けとめられ、ダメな点数の時も、考える道筋について教授との会話が弾んだ。点数が悪いぞと蔑視されたり、烙印を押されることはなかった。

数学をする人は、結果はともあれ、考える道筋や思いがけない回り道に感嘆する傾向がある。そこに大きな意味があるからだ。私は、必死に考えた末にみんなとは違う道を編み出しているような学生だったので、不当な評価を得てこなかったわけだ。そのおかげで、超優等生ではなかったが、ダメな学生にはならずにすんだので、特に悩むことなく、数学科時代を過ごせた。

◎自分と違う意見をおもしろがる先生についていく

またそれは、特に人間関係において、ある重要な発見にもつながった。私は、すばらしい先生や人というのは、こちらが間違えているところをどんなふうに正そうとしてくれるか、自分と違う考え方の過程を一緒に吟味してくれるか、そこで決まるな、と思うようになった。周りの人、特に年下の考え方を聞く、そこから自分の考えを客観的に見た上で、間違えの発端をつかんで正す、そんな勉強法の人が好きだと思うようになった。単にスマートなだけの人は多い。自分のコピーをつくりたがる教授ともたくさん出会った。そのような人たちは、自分と違う意見にやたら弱い。しかも、異種のアイディアには決して

「優（A）」をつけず、「良（B）」や「可（C）」、ひどい場合は「不可（F）」をつけて、平気で無視する。それに気づいてから私は、そんなタイプの先生よりも、もっとポジティブに周りの人を助けていける、考えることを大事にする先生たちと、つき合うようにしていった。

◎数学・生命科学のダブル専攻、副専攻で比較政治学

卒論で、虹をコンピューターに取り込むことが私の究極の目標だった。そのため虹の方程式に関わりそうな代数幾何は、週末でも惜しまず勉強した。半面、その他の卒業要件の科目は、たとえ数学であっても、残念に思いながら、ほどほどにやり過ごした時もあった。大学なので、自分の目標に有用な科目を中心に勉強し、取捨選択することも大事だった。勝負どころは選んでいかないと、いくら時間があっても足りなくなる。

数学のクラスの他には、生命科学のクラスがおもしろく、数学の虹のプロジェクト以外にも実験を素材にした卒論が書きたくなった。そこで、学校のアドバイザーに会いにいき、ダブル専攻にしてもらえるか、単位の交渉をした。

自分用に学位をカスタマイズする学生はかなり多いらしく、その交渉はまったく問題に

ならなかった。アドバイザーは、数学と生命科学をダブルで専攻する場合の単位取得の条件を文書に起こし、学部長のサインをもらっておいてくれた。几帳面にチェックリスト付きだったので、取得すべき単位数や卒業要件に迷うことはなかった。

そうこうしているうちに、もう一つ文系の科目に興味が生まれた。これは、比較政治学のクラスで、もっと世界を見たいと思った自分の関心と好奇心を満たしてくれる科目だった。そこで、二つの専攻に、比較政治学を副専攻として加えてもらうよう、アドバイザーにもう一度頼んで、文書の上書きをお願いした。意欲ある学生の要求は、だいたいうまく通る。反対する理由がないからだ。秘書を通して、学部長のサインも無事いただき、私は数学と生命科学のダブル専攻、比較政治学を副専攻として大学を出るという自分用の道筋を立てた。

もちろんダブル専攻となると、勉強量は途方もなく多く、その上、他にも選択教科を取らなくてはならないので、徹夜の日はザラだった。しかし、どの専攻の学生も、勉強量はかなり多い。親友のアンバーはコンピューター・サイエンスで、こなさなくてはいけない課題が物理的に多かったし、もう一人の仲良しのジェニーは生物科で、実験が多くて大変そうだった。科目によらず、みんな全力で勉強していたので、自分だけが特別多く勉強したとか、苦労したとは思っていない。周りの勉強に対するポジティブな雰囲気のおかげで、私もやれることを目いっぱいできた。とことん打ち込まないと、逆に恥ずかしい状況でもあった。

◎理系女子3人が選んだ3つの勉強場所

アンバーとジェニー。専攻が違うのに、親友二人とはどうやって知り合ったのか。これも共通する勉強法があったからなので、詳しくご紹介しよう。

まず、私たち3人に共通していたのは、専攻とまったく違う分野の選択科目に手を出したことだった。アンバーと私は、マクロ経済のクラスを一緒に取った。ジェニーと私は、ロースクールの国際条約のクラスを一緒に取った。これらのクラスは、特に易しいクラスではなかったが、UBCはマンモス校なので、文系の基礎科目は大人数で行われていた。私たちは、それらのクラスを選択科目として単発で取りにいき、そこで仲良くなった。理系女子、文系科目でばったり出会う、といったところである。

マクロ経済のクラスと国際条約のクラスには、二つの共通点があった。一つは、国の枠を超えてのやり取りを扱うクラスだったこと。私はそのダイナミックさに漠然とした魅力を感じた。アンバーとジェニーも同じ意見だった。今は国レベルでの貿易交渉の通訳をしているアンバーと、航空会社に勤めるジェニー。私たち3人は、学生時代から「国際感覚」に惹《ひ》かれていたのだと思う。

二つ目の共通点は、プロジェクトベースのクラスだったこと。つまり、先生がレクチャーをして、期末試験を受けてパスするようなクラスではなく、少人数に分かれて、リサーチ・プロジェクトをする課題があるクラスだった。私たちは、そんな小さなプロジェクトに燃えるタイプだった。学期末のテストでなく、学期中に片がつくのもよかったし、学んだことがクリエイティブな形で残せるのは、文系の醍醐味《だいごみ》だとも思った。

そのような文系クラスで、私たち3人は仲良くなり、それぞれの専攻や部活は違っても、キャンパスでの時間を一緒に過ごすようになっていった。充実した学生生活を、一緒に楽しんだ。毎日たくさん笑って過ごした。

私たちは、学校の近くの24時間営業カフェ、プールサイド、お互いの家を勉強場所にしていた。つまり、食事が取れるところ、日光浴ができるところ、寝られるところという3つの重要点を押さえた場所選びをしていた。そしてウィークエンド以外は、この3つの地点を3人が行ったり来たりしていた。もちろん、それぞれが他の友だちとも出かけたりはしていたが、お互いがお互いをいい意味で監視していたので、時間のマネジメントが上手にできるようになった。

フルに勉強する4日間と楽しい3日間

ここで、毎日の時間の使い方を紹介したい。大学の時の、私の1週間のスケジュールは、次のような表にまとめられる。ホッケーの朝練、学校のクラス、ジェニーやアンバーといる時間が入り、月曜日から木曜日は、完全にこのルーティーン（決まったスケジュール）をこなすのである。

そして、表のようにスケジュールをとことん詰め込むことで、いい勉強のペースが生まれた。普通は1学期に4つのクラスを履修するのがフルタイムの学生の標準だった。4クラスのうち、専攻科目が2つか3つ、選択科目が1つか2つといった具合に、1学期に4クラスずつ取りながら、4年で卒業要件を整えるわけだ。しかし、私は1学期に6クラスずつ取った。学校にいる時間を精一杯使えるよう、予定表にはすき間を空けず、いつも何かしているように授業をフルに詰め込むことで、全体的なタイム・マネジメントもうまくいく気がしたからだった。

とことん勉強する4日間のスケジュール

月曜日から木曜日は、徹底的にこのルーティーンにコミットするが、金、土、日は、勉強時間の他にもフレキシブルに予定を入れるようにしていた。つまり、4：3の割合で、他の誘いを何もかも断ってやり遂げる4日と、比較的楽に暮らす3日を、はっきり分けた。すると、苦しさは4日で終わり、楽しい3日がやってくるので、気分的に楽である。睡眠が少ない日も、月・火・水だけにできるので、そんなに疲れがたまるわけではない。2日くらいは、寝なくても平気だったし、たとえ3日寝なくても、木曜日の夜にガーッと寝れば回復する。この4：3の黄金比率をキープすることで、仕事もはかどり、全体的にハッピーに暮らしていけたと思う。

また、アンバーとジェニーには、私のスケジュールが筒抜けで分かっているので、無謀なスケジュール取りをしなくなった。無理そうだったら、周りがストップさせる。お互いのスケジューリングから、どのようにすれば効率がいいかを、それぞれに学んでいった。重要なイベントや課題がある時は、前もって準備のための時間を空けておく、といった基本的なことから始まり、早くから先を見越して段取りを整えておく、友人のヘルプを取りつけておく、逆に友人のために時間を空けるとか、20歳なりに、時間がない中から時間を繰り出す術《すべ》を編み出していた。

◎孤独にならず、時間も取られすぎない友だちの数

カナダでの大学生活では、友人が周りにいることの落ち着きに、ずいぶん助けられた。日本にいた時は、勉強は一人でするものと習ってきた。中学も高校もテストの点を友人と争うような仕組みだった。その緊張と、孤独極まりない行為。中学でも高校でも、一体何を競わせられているのか、意味が分からず、私は耐えられなかった。頑張りなさいと言われても、結局は「勉強する理由」や「頑張る理由」が、日本の学校では見つけられなかったのだと思う。

カナダの大学では、友人と点数で競い合うこともなく、自分の好きな科目を好きなだけ、カフェやプールや家で、カジュアルに、エンドレスに勉強した。それは、本当の意味で自分に向き合えるいい時間だった。初めて勉強を楽しいと思えるようになったので、たくさん勉強した。

そもそも私は孤独に弱いタイプである。一人で部屋にこもるなんて、とんでもなくハード。そういうタイプであるのが分かっていたので、孤独にならない状況にいつもいるように心がけた。気の合う友人、アンバーやジェニーとずっと一緒にいた。振り返ると、大学

時代、一人でいたことはほとんどない。自分の弱みを知って、そこにはまらないようにしたのは正解だった。

しかし、友だちの数自体は少ない。当時、アンバーとジェニーと、他にもホッケークラブのメンバーや、よく遊ぶ友だちが数人いたが、それ以上にソーシャルサークルを広げたり、イベントに参加したりはしなかった。大学に入ってからは、英語学校の時より、学校での勉強の成果と毎日の生産性に重きを置いていたからだと思う。

繰り返すが、大学に入ってからは基本的に「頼れるのは自分だけ」。その状況で、友だちの輪を広げすぎては、宿題、課題、実験、どれも進まないし、時間だけ取られる。3、4人ぐらいの親しい友だちと、8人ぐらいのまあまあ親しい友だちがいた状況は、私にとってベストだった。

◎勉強する時に音楽は聞かない

さらに、一人でいると、音楽を聞きながら勉強する人が多い。これにも弊害が潜んでいる。勉強の集中力が落ちた時に、ふと聞いていた歌詞に共感し、妙に考えごとにふけってしまう。ハッピーなラブソングだろうが、失恋もののバラードだろうが、とにかく歌詞を聞いて感傷的な気分になるシチュエーションに心当たりはないだろうか。それは、無意識に時間を無駄使いしていると思う。勉強すべき時に、勝手な妄想や回想に時間を浪費するのはよくない。

友だちといると、そんな状況には陥らずにすむ。カフェのバックグラウンドにかかっているうるさくない程度の音楽が、私にはちょうどいい音の量だった。また、好きな音楽は、掃除、シャワーの時や、朝の準備の時間にだけ部屋に流して、気分よく聞くことにしていた。音楽を「景気づけのおまじない」に使っていたのである。

有限の24時間から、自分がやるべきことの時間を繰り出すには、弱点にはまって悩む無駄な時間をカットするしかない。大学時代に、孤独を取り除き、音に惑わされず、勉強するためのいい環境づくりが自然にできていたことは、タイム・マネジメントと並んで、重要なポイントだったと思う。

SUMMARY

私の勉強法4

いい友だちとは、自分が得意なことや専門としていることに関係する場所だけにいるとは限らない。大学の選択科目は、いい友人に出会える場所だった。アンバーとジェニーは、違う専攻だったからこそ、お互いの生活や悩みが一つの方向に偏らずにすんだ面もあった。

　これは社会に出ても変わらないことだと思う。職場の友人や、趣味の友人。興味や関心の接点があるところで、人づき合いは自然に広がっていくものだ。また、まったく違うことを専門にしている人たちのアドバイスが、なぜか問題の核心をついていたりする。

　アンバーとジェニーとは、今でも大の親友である。アンバーは仕事でアジアに行き、ジェニーはカナダに残った。そして、私はアメリカからイギリスへ。それでも、なぜか絶対に離れない固い友情がある。どこにいても、お互いを大事に思う。お互いの人生をシェアしている。そして、いつも、お互いをいい意味で監視し、元気づける存在でいる使命を持ち続けている。

　彼女たちとの出会いの時のように、私は今も趣味を続ける。8月からはクッキングとお絵描き教室。趣味のクラスは絶対いい。きっとイギリスでも、すばらしい友人に出会える、そんな、いい予感がする。

☆選択科目は、興味のあるものを積極的に取る

☆プロジェクトベースのクラスは成果が形になるので挑戦してみる
☆同じ状況の人のスケジュールからタイム・マネジメントのコツを学ぶ
☆苦手なこと（私の場合、孤独な環境）に浪費する時間を極力減らす
☆カジュアルに、エンドレスに勉強する環境をつくる

友だちの助言からどう学ぶか

「KEEP CALM AND CARRY ON」
イギリスで、よく見かけるフレーズ。どんな意味だろう？
自分の大切な言葉は何だろう？　と、立ち止まって考える。

7月9日

◎プレゼンの時は自分に自信を持って！

私は学生時代、プレゼンが得意でなかった。そればかりではなく、けっこう強気なわりには、小さなことにくよくよしていたり、いざという時に発進できずにくすぶるタイプだった。しかし、そんな弱点を退治してくれたクラスメートたちもいた。ここでは、私の弱点を治してくれた友人の言葉をいくつか紹介したい。

ブライアンは今では弁護士で、大学の頃からプレゼンが得意なタイプだった。彼とジェイと私は、比較政治学のクラスを取り、その後、学校のパブでビールを飲んでいた。ホッケーが見られる学内のスポーツバーである。

ホッケーの第1ピリオドは、夕食の時間。3人とも好物の大きなマッシュルーム・ハンバーガーをほおばる。プロのチーム「バンクーバー・カナックス」や地元の「バンクーバー・ジャイアンツ」の応援に励む。第2ピリオドは、ビールをおかわり。ポテトを追加。飲みながら、だんだん本音トークになる。第3ピリオドは、競り合っていればおもしろいのだが、ゲームの勝ち負けがはっきりしている時がある。そんな時は、ゲームそっちのけで、自意識過剰ぎみな大学生らしく、自分たちの話題に夢中になった。

そんな時、ブライアンが私を分析して、繰り返し言う言葉があった。

「Be confident!」

もっと自信を持て！　と言うのだ。私は、自分の意見を言うには言うのだが、その主張の度合いが弱いと。「そんなんじゃ、よいことを言っても、聞き流されるよ」とジェイも言う。「発表が、みんなの記憶に残らないってば。特にプレゼンの時は、もっと自信を持って！」とブライアンはさらに語調を強める。

しっかり意見を言おうと努力してきたつもりだったので、最初はショックだった。ありがたくは受けとめがたい指摘だった。しかし、プレゼンが上手な彼らを見ていると、「自分を信じる」ことの重要さが、だんだん分かってきた。

彼らと私は、インドの政治のクラスを一緒に履修しており、彼らはプレゼンをソツなくこなしていた。スライドを用意する時もしない時も、クラスメートを引きつけるのが上手だった。まず話す時の姿勢がいい。そして、重要なポイントを繰り返す。最後には、議論すべきポイントをはっきりと提示する。誰もかなわないプレゼン能力だった。

このインドの政治のクラスで、私にもプレゼンの機会が回ってきた。この時は、ブライアンとジェイへの名誉挽回のような状況に追い込まれた。「控えめすぎる」など、そこまでの指摘を受けておいて、これまでと同じレベルのプレゼンをするのはいやだった。

インドの政治はあまり得意な分野ではなかったので、準備にはとても時間がかかった。しかし、ブライアンもジェイも、当日のプレゼンの時には、前のほうの席に座ってサポートしてくれる様子だった。そこで、私は、それまで概要を書いたカンペ紙を持ってプレゼンをしていたが、直前になって、ええい！　と、その紙を捨てた。

じっくりプレゼンのプランを練ったので、大筋はしっかり頭の中に入っていた。そこで、自分の言葉で話すことに集中した。ブライアンとジェイに話している時のつもりで、少しぐらいつまずいてもいいやと思ってやった。すると紙を持たない手は、説得するためにハンド・トークのジェスチャーを取り、やたら気持ちがよかった。紙を見ないかわりに、他のクラスメートの目を見て話すことができた。それは、山の頂上に立った時のような爽快感だった。

自信を持って言葉を発すると、とても気持ちがよかった。クラスメートがにっこりして聞いている様子が嬉しかった。プレゼンの後、その成功を反映するかのように、ブライアンとジェイも、他のクラスメートも、本気で議論をぶつけてきた。それが、よいプレゼンの成果物として私に返ってきた。プレゼンは、自分がどれほどきれいに話すかではなく、どれほど周りとつながりを持てるかが重要だったのだ。

大学でのインドの政治学のプレゼン以降は、一度も紙を持って話したことがない。そのかわり、準備の段階で慎重に言葉を選び、リハーサルを重ねていった。自信を持つための準備。事前にしっかり考えておくことの重要さを「Be confident!」という言葉から学んだ。紙を捨てた一瞬の勇気が、次々とプレゼンのヒントを生み出し、眺めのいい山頂にいる気分は、次も頑張ろうというモチベーションにつながった。ブライアンとジェイの助言とサポートには、いつまでも感謝している。

あなたの会話には「Don't」が多すぎる

また、友人の助言は、プレゼンのことにとどまらない。デーナは、大学の時から英語の先生のバイトをしていた言語学専攻の学生で、これまた比較政治学のクラスの同級生だった。彼は、言語学に詳しいだけあって、私に口をすっぱくして言っていたことがある。

それは、私の会話に「Don't」が多すぎるということ。つまり、ダメ！ と叱ることが多かったらしい。これも最初は、スティーブンのベビーシッターをしてきたからだろうと軽く流していたが、彼は私が日本で「Don't」を刷り込まれてきたからだと指摘する。

たしかにカナダに比べると日本はルールが多いかもしれない。こうしてください、こうしないでください。至るところに注意書きがあって、地下鉄の駅にはこちらを通るようにと進行方向の矢印まで書いてある。言われてみると「Don't」の多い世界で生きてきたかもしれない。これに気づいた時には、その事実よりも、私もそれを他の人に言っていたのかと、かなりのショックを受けた。

しばらくどうしてよいか分からなかったが、できるだけ「Don't」を言わないように気をつけてみると、身の回りの私をしめつけていた「Don't」から次々と解放されていった。

プレゼンで山頂に登った時以上に、清々しい思いをした。

同時に、「Don't」は、私のクリエイティビティーを妨げてきた大きな障害だと分かった。私には、こうしなければいけないのではないか、ととらわれている優等生像があった。「Don't」を理由に、その殻を破りきれずにとどまっている自分がいた。

カナダの大学生になった自分には今や無意味なものなのに、それでも守り続けていた「Don't」がたくさんあった。これは大きな発見だった。

さらに、「Don't」の呪縛は「Do」の大事さも気づかせた。これまで、ダメ！　と思っていたことを、ヨシ！　にかえるとおもしろい道が切り開ける。たとえば、「Don't walk here!（ここを歩いてはいけません！）」。これをDoに変える方法は無限にある。「Jump!（歩いてはいけない危険なものがそこにあるならば、飛んでしまえ！）」とか、「Wait!（待ってみよう！）」とか。

学校の中でも、「I shouldn't say this（こういうことは言うべきではない）」という心の中の言葉があって、発言できなかったのを、「Don't」のつっかえ棒を取り払い、「Let me bring this up!（こんなアイディアを言ってみよう！）」とか「Let me suggest a different method!（まったく違った方法を提案してみよう！）」とか、自分のオリジナルな考えを発表しやすい心持ちに変えていった。

「Don't」を取り払うと、すべてがポジティブに変わっていく。にっこり笑う余裕ができる。そうやって、「Don't」を捨て、「Do」を探していくうちに、私は自由になっていった。

◎損得より大事な「自分らしくあること」

さらに、友人からの重要なアドバイスがもう一つある。大学を卒業してはるか後、働き始めて出会った大学教授のマイケルは、大事な物事を交渉する場面で「Be yourself!（自分らしくね！）」という助言をくれた。ここまでくると、助言というより、まさに難しい注文だが、この言葉は、それ以後、いつも私を支える格言なので、ここで紹介しておきたい。

私は、実社会での交渉ごとに弱かった。情にもろく、断ると申し訳ないとか、嫌われるとか。相手次第、相手任せな部分が多く、ビジネスライクに事を運ぶことができなかった。しかし、マイケルは、交渉を含めすべての物事の根底にあるものは、損得ではなくて「どれだけ自分らしいか」だと言う。それが一番大事なことだと力を込める。

勉強も、仕事も、芸術作品も、スポーツも。たしかに、そういう価値観で物事を見ていくと、だいたいの問題は解決する。そして、勉強は特別にそうとも言える。今格闘しているることが、自分のためかどうか。自分のためでなければ、学べない。学んだふりに終わる。

何事も、自分らしいスタンスでいくと、どんな選択をしても後悔しない。だから、自分らしくあることにこだわるのは、最重要、最優先すべきことである。

SUMMARY

私の勉強法5

友人から何を学ぶか。それは「自分を改めさせることができる貴重な言葉」を真摯《しんし》に受けとめることから始まる。私は、ブライアンやデーナやマイケルの他にも、心からの励ましの助言をくれた友人に、ことあるごとに助けられた。彼らの指摘には、めげそうになった。いじけそうになった。しかし、そんな感情を乗り越えて、自分のためになる助言として受け入れることができた時に、次のステップに進むことができた。彼らは私に、鏡を差し出してくれたようなものだ。いい友だち。心から感謝している。

ここイギリスでも、「Keep Calm and Carry On!（冷静に、戦い続けよ！）」という戦時下のイギリス政府の標語をよく見かける。今では何通りにもパロディ化がなされ、至るところに飾ってあるこのフレーズ。ポスターや、商品化された「Keep Calm」グッズは、あちこちにある。このスローガンを、私なりに言い換えるならば、「Be Myself and Carry On!（自分らしく、行動せよ！）」といったところ。友人たちの言葉を思い出しながら、これからもしっかり歩いていこうと思う。

☆プレゼンはカンペなしで聞き手の目を見て話す
☆プレゼンの前は「Be Confident!」とおまじない
☆「Don't」にしばられず積極的に「Do」を探す
☆いつも「Be Myself」自分らしい決断をする
☆友だちからの助言は、めげそうになっても真摯に受けとめる

いつも「世界基準」で考える

久しぶりに爽快な晴れの日。雨が続いた1週間。雨宿りも楽しかったけれど、やっぱりベイビーブルーの高い空には、かなわない。
The Sky's the Limit 8

7月10日

3年で学部を卒業、大学院は理系から文系へ

友だちと一緒にカジュアルにそしてエンドレスに勉強し、数学と生命科学のダブル専攻、比較政治学を副専攻として大学を卒業することに成功した。決して焦ることなく、孤独にならないためのスケジューリングで、MAXの生産性を極めることが可能になり、4年のところを3年で卒業できた。

カナダの大学は単位制のところが多く、早く単位を取得すれば、早く卒業できる。いわ

ゆる「飛び級」だ。私の場合は、飛び級を目指したわけではなかったが、タイム・マネジメントを効率的にするために、たくさんクラスを取った結果、3年で大学時代を走り抜けることになった。

そして、卒業を控えた大学の最終年。日本語ができるという理由でリサーチ・アシスタントのアルバイトをしていた日本史の教授と、当時アジア学部の学部長であった日本史の教授に出会い、大学院では転科して日本史を学ぶことになった。

突然の転科での大学院入りだったが、理系は二つも専攻してきて、十分に学んだ気がしていた。比較政治学でプレゼンやエッセイを書く楽しさを知りかけていたこともあったかもしれない。あまり大きな転向を遂げたつもりはなかったが、とにかく日本史の勉強が楽しかった。何よりも、教授二人がすばらしい人格者であったことが、私を躊躇《ちゅうちょ》なしに大学院へと向かわせた。

リサーチ・アシスタントをしていた日本史の教授は、プリンストン大学出身で、日本の宗教や江戸時代に詳しい学者だった。彼は、毎日、研究を楽しんでいた。正確に言うと、研究を段取りよくこなすことができ、好きなことを楽しんでいるといった雰囲気だった。そして、彼は学生をよくほめていた。学生の話を聞いていた。今考えると、彼の満面の笑顔は、教授としての彼の余裕と人間の幅が、学生に注ぐエネルギーとなって表れたものだったとも思える。彼の授業は学生にプレゼンを課す。いい学びの雰囲気のあるクラスだった。

当時、アジア学部の学部長だった日本史の教授は、今まで出会った人の中で、一番熱意ある、人を裏切らない人格者だった。私は、彼の器量の大きさと、自分の熱意で現実を創っていく様子に圧倒された。彼の意思と行動との一体化は、驚異的というか神がかっている。彼は、どんな案件でも、純粋にいいと共感したことには、できる限りサポートすると約束する。そして、その約束を果たすことが、彼の生き様そのものだった。目上、目下にかかわらず、あらゆる世代の人にそう接しているすばらしい人だ。

そのような尊敬する二人が、私を日本史のプログラムに大学院生として受け入れてくれた。二人の先生の大学のクラスで史料を読みながら、私が吸収していったこと、私が研究したいことが、これからの日本史研究に重要であると見込んでくれたのである。

大学院進学。それは、私が誰かに期待をされた初めての出来事だった。私は、数学も、生命科学も、比較政治学も興味があって好きでやってきたが、この時ほど、前進する力にみなぎっていた時期はない。すばらしい人柄の先生二人の期待に応えるよう、今までよりさらに勉強する意欲が出た。なんでも相談できる先生たちだった。そんな環境に身をおいてみようという直感的な決断が、その後の私の道を切り開く出発点となった。

◎ハーバード大にピンポイント衝動留学

ブリティッシュ・コロンビア大学での秋からの転科入学を控えた夏休み。前進する勢いあまって、東海岸へ一人旅をする計画を立てた。アメリカのハーバード大学への夏期留学を考えたのである。

学生時代の親友アンバーもジェニーも、卒業後すぐに就職してしまった。他の友だちもロースクールやメディカルスクールへの進学のためにさらに勉強をしていた。そこで、大学院への入学が決定し、夏の間手持ち無沙汰になった私は、ちょっと冒険してハーバード大学のサマースクールに行くことを思い立つ。世界的な知名度のある大学を見てみたいと、憧れるがまま行ってみたわけだ。ブランドに憧れる年頃。深く考えもせず、思い立ったまま行動した衝動留学だった。

ハーバード大学は、私が通っていたカナダの州立大学より学費がぐんと高いので、一つの科目のみを取る単科留学生という身分で、2カ月だけの滞在になった。そして、大学院で勉強することになる日本史のクラスを取ることにした。

また、できるだけ経費を抑えるという工面でもあったが、さみしくならないように寮に入った。私の弱点である孤独への対策である。寮探しにあたっては、やはり数学科の自分がどこかにいたのだろう。理系女子の寮、つまりMIT（マサチューセッツ工科大学）の私設寮の中で一番安いところに決めた。ハーバード同様に、理系最高峰のMITにも、もちろん興味があったのだ。世界のトップランクの学校や生徒が見てみたかった。

MITの女子寮では、ルームメートのカレンと仲良しになった。カレンは、当時、MITの4年生。私と年もあまり変わらず、アンバーやジェニーといった頃のようなルーティーンが戻ってきた。毎日カレンと寮の近くのアイスクリーム屋さんに通い、MITのキャンパスで本を読み、そして、寮のダイニングルームで勉強した。夜は、寮の庭にあったハンモックに揺られ、星を見ながら記憶の反芻活動を楽しんだ。カジュアルにエンドレスに勉強していた。新しい生活を楽しんだ。

◎ザ・サムライからレディ・サムライへ

ハーバード大学では、ザ・サムライのクラスを受講した。このクラスでは、先生が講義をするのが前半。古代から現代まで、サムライ文化をたどっていく形のレクチャーだった。そして、読み物の内容を議論するディスカッションが後半。クラスには、十数名の受講者がいて、そのうち女の子はダニエラと私の2人。仲が良くなった友人たちは、ダニエル、ジェイソン、マット、ミカエルの男の子4人組だった。

この4人とは、授業が終わると一緒に食事に出かけた。そして、授業の中身について話しながら、午後のひとときを満腹のまま外で過ごした。ザ・サムライのクラスには中間試験と期末のペーパー、そして期末試験の3つしか課題がなかったが、ディスカッションが毎回あるので、読み物やレクチャーの内容をちゃんと消化していく必要があった。そこで、5人で食事をしながら、その日に出てきたサムライの話をし、おやつやアイスコーヒーを買って、大きな木の下で長々と語り合った。

そうすることで、全員が楽しく復習と予習をしていた。受け身ではなく、能動的に考える楽しさがそこにはあった。私はこの時間のために、授業の内容をしっかり聞き取るようにしていた。ノートを見なくても記憶ができるようになっていて助かった。友だちと木の下で勉強するのに、せっせとノートを見ながら話をするなんて格好悪すぎる。重要点と分からない点を、きちんと頭の中で整理できるようになっておいて、よかったと思う。

ある午後、この大きな木の下で、レディ・サムライという言葉が浮かんだ。ザ・サムライのクラスの議論は男のサムライの話ばかりで、女性がまったく出てこない。これはどういうことなんだろうか。唯一の日本人女子の受講者として、単純に素直に気に入らなかった。そこで思いきって、この悩みにも似た「ザ・サムライの授業への疑問点」を4人にぶつけてみた。

すると、彼らも、たしかに女性が出てこないのはおかしい、と言う。どんな女性がいたのだろうか。そう話していく中で、ザ・サムライに相対《あいたい》するキャラクターとして私が名付けたのが「レディ・サムライ」なのである。サムライの話だけで日本の歴史が完結するはずはないと、みんな思った。

そして、レディ・サムライという言葉には、みんなの興味をくすぐるいい響きがあった。いてもいなくても知りたい存在で、そして今いてもいいかもな、とも思える、そんなキャパシティの大きな言葉を見つけた。

◎期限をきり、できる範囲を超えずに全力疾走

私の夏期留学は、あっという間に過ぎていった。私は充実した時を過ごした。ＭＩＴ

の女子寮と、ハーバードの教室と、ヤードと呼ばれる中庭の木の下を行ったり来たり。大量のアイスクリームとアイスコーヒーを消費して夏期留学は終わり、カレンや4人のクラスメートとの会話から、今後日本史を大学院で研究する上での目標ができた。

「半分史だった日本史を、女性も含めた日本史に書き換える！」

レディ・サムライという言葉と明確な目標意識を得て、ハーバード大学への短期留学から、バンクーバーへ戻り、私は大学院生になった。古文や漢文を習いながら、一次史料を集め、大学で日本語のクラスを教えるバイトをしながら修士論文を書いていった。

大学院での勉強は、どの分野ももっぱら「自分のペース」が基本である。論文の内容や論文のために必要なリサーチも、すべて自分で行い、自分で構成し、自分で書く。したがって、院での勉強がうまくいくかどうかは、自分で納得できるペースを保っていくことにかかっていた。大学生の時のように試験に通って、単位を集めれば卒業できるものではない。自分の目標を設定して、自分ができることを最大限にしていく必要があった。

というのも、周りの大学院生で、何年も論文を仕上げずにいる人は、日本史に限らずたくさんいた。私は2年という目安があるものは2年で終わらせたいと、時間の区切りを自分に課した。なぜならば、修士論文に長い時間をかけても、その後の仕事探しにプラスになるとはどうしても思えなかったからだ。しかも、修士論文はすぐに本になるわけではなく、修士の時に書いた論文はまさに「修士論文」としてのみ存在し続ける。だから、2年間しっかりやって、その時点でできるものに満足しようと心を決めた。そして、博士課程まで進むことになれば、修士論文に書けなかったことは博士論文に引き継ごうと思った。

それだけではない。大学院入学の時にもらえることになった奨学金は2年限定のものだった。それ以上延びると、授業料を払わなければならない。大学院に入学するまで、私はずっと学生だったし、まとまったお金を貯められるような職歴もなかった。大学院を2年で終わらせようというのは、自分を経済的に困らせない覚悟でもあった。

そうやって、気力と経済の両面から、2年先にゴール地点の旗を立てた。期限付きで、仕事を割り切って考え、「2年走りまくってなんとかなるプロジェクト」を完成させればよいと考えると、修士号取得へ向けてのプレッシャーが減った。また、担当教官に出す研究計画書も、「2年でできる範囲」を絶対に超えないように注意した。

結果、修士の1年目は古文・漢文、史料の読み方のトレーニングに重きをおいて、論文に使えそうなアイテム、つまり一次史料を集めていくことになった。1年目は論文を書くための準備期間になったわけだ。

大学院に入った後は、アンバーとジェニーとの大学時代のように、同じ学部の大学院生、オレグとクリスとノリと勉強した。彼ら3人も勉強に正面から向き合うタイプ。まじめで賢く、かつユーモアがあり、みんなで語り合うと、楽しくて仕方なかった。みんなで一緒に仲良く勉強した。彼らのおかげで、孤独対策も大成功。カジュアルに、エンドレスに勉強がはかどった。

修士の2年目に入る頃には、博士論文に関わる史料もたくさん集まってきた。日本史の史料や文献は、日本のほうが、はるかに多い。日本に行ってもっと史料を集めたい、もっと、もっと、本を読みたい、文章を書きたいと思うようになった。そうやって、日本史にのめり込んでいった。

SUMMARY

私の勉強法6

数学から日本史と言うと、大きなジャンプのように聞こえるかもしれない。しかし、本人は、それほどの大きな変化を感じなかった。すばらしい先生がいる環境、そして、自分が疑問に思うことを研究する楽しさ、その二つが私を大学院へ導いた。そこに理系から文系に転じる壁はなかった。

さらに、世界の最高峰を見てみたいと夏期留学の旅に出かけたことも、未来への道を開く大きなステップになった。バンクーバーは、世界中からの移民や留学生たちが集まるインターナショナルな土地であり、いつも「世界基準」が、みんなの参考値として取り上げられていたからだろう。私も、大学時代、世界基準で物事を見るように育ってきた。世界で最高水準を誇る大学や大学院を実際に見てみようという発想も、そこから生まれた。

そうすることで、自分が疑問に思うことをどんなふうに解いていったらいいのか、展望が見えてきた。私は、ハーバード大学のザ・サムライを一つの世界基準にして、自分の日本史の研究を位置づけるようになった。

バンクーバーでの修士課程1年目は、勉強しても、勉強しても、果てしない量の課題が山積みになっている気分だった。過去に残された史料から、どんなふうに過去を語るのか。どんなふうに過去を現在に生かすのか。白い紙に向かって論文の組み立てをする時は、いつも無限の可能性に出会う。

なんの勉強でも、どんな仕事でも、きっとそうである。目の前には無限の可能性が広がっていて、それに気づいた一瞬、大きな竜巻に呑み込まれそうになる。そうやって無限の可能性を感じながら空を眺める時こそ、可能性の果てしなさに翻弄《ほんろう》されないよう、逆に、自分の手のひらに収まる範囲の話を考える。

高い空は、無限の可能性だけではなく、その反対にある「有限」の意味を教えてくれる。勉強やプロジェクトの範囲とそのタイムラインを決めるのは、最後は「自分」しかない。

☆カジュアルにエンドレスに勉強できる場所を見つける
☆クラスの内容を友だちと語り合い、楽しく予習復習
☆受動的に習うのではなく、能動的に考える
☆疑問点から生まれるアイディアを大事にする
☆プロジェクトの大きさとタイムラインは自分で決める

無理して玉砕しないためのメンタル・ケア

電車でロンドンへ出かける。
新しい街は新鮮で、何もかもきらきらと輝いて見える。
Life is endlessly fascinating!
小さな発見とともに、毎日が進んでいく。

7月11日

○博士課程はアイビーリーグで

修士課程の2年目には論文を書き始めた。修論を練る過程では、北政所《きたのまんどころ》の関連史料、特に豊臣秀吉から北政所に宛てて書かれた手紙と文献を読み返した。そして彼女の没後、つまり江戸時代以降に書かれた彼女にまつわるエピソードを集め、これまでの北政所の伝記の書き方を考え直さなければいけない理由を主題に、修論をまとめていった。研究に関する史料や文献はたくさん集まり、2年より長くかかるプロジェクトになりそうなのは明らかだった。続きは博士課程でやろうと私は考え始めた。

この時、UBCの担当教官は、この先も歴史を勉強するならば、バンクーバーを出て、さらにアイビーリーグ（アメリカ合衆国東部の名門私立8大学）で続けるようにと勧めてくれた。彼ら教授陣も、プリンストン大学とコロンビア大学の博士号をそれぞれ取得されているので、説得力があった。

アイビーリーグの博士課程だなんて、夢にも思わない進路であったし、最初はいやだと思った。バンクーバーを離れるなんて、絶対にいやだった。しかし、大学院だって通らないことには、話は始まらない。通らなければ通らないで、バンクーバーに残れる。私はあまり気負わずに、アイビーリーグのハーバード大学、コロンビア大学、プリンストン大学、その他西海岸の州立の大学、UCLAとUCバークレーにも願書を出すことにした。引っ越すかどうかは、とにかくどこかの大学院に通ってから、真剣に検討しようと思ったのだ。

◎再びテストのための勉強をあきらめた

2年間と決めた修士課程でこなすべきことはやたら多く、論文書きと並行して博士課程出願準備をするというのはさすがに大変だった。出願大学からは、TOEFL以上に難しい、GREという、大学院に出願するための共通試験でいい点数を取ることが求められている。さらに出願時には、それぞれの学校に、志願理由と博士課程で取り組む博士論文のテーマをエッセイにして提出しなくてはならない。

大学生の時もかなり詰め込みの勉強をしてきたが、修士課程2年目の論文書きと博士課程に入学するための準備を足すと、その1年で、大学3年間に匹敵する仕事量に一気に見舞われた感じだった。博士課程への出願準備に100パーセントかかりっきりになってしまうと、修士課程の勉強がなおざりになり、修士課程も2年で終われないというピンチを招きかねなかった。

もちろん、焦る。この時の、できるかどうか分からないことに挑戦する状況は、ケガを覚悟に、目隠しで暗い部屋を歩くような心境だった。

そこで、まずは、気持ちを落ち着けるために、アンバーから以前の誕生日にもらっていたCD「モーツァルトはあなたを賢くする（Mozart makes you smarter）」を引っ張り出してきた。もしかすると賢くなるかもと、CDの中の、ピアノ曲を流しっぱなしにしてみた。いや、実際は、科学的にモーツァルト効果を信じていたわけではなく、A major のソナタ11番が、なんとなく落ち着く気がして、その1曲をエンドレスリピートにしてみたのだった（5年後にいきなり気づいたのだが、そのソナタを弾いていたのは、なんとあの天才グレン・グールドだった）。そうやって、自分の焦る気持ちを落ち着け、なんとか自分のペースを保ち、パニックを起こさずに過ごしていた。

1回目のGRE試験には素手で向かった。事前勉強なしで臨んだわけだ。当然ながら、英語のスコアは、それまで大学の授業をこなしてきたというのに、惨敗だった。分からない単語だらけで、文法問題もトリッキーだった。問題の難しさから、これはさすがに、出願期限に間に合うように、このスコアをぐーんと引き上げるのは絶対に無理だと判断がついた。

そこで、あきらめた。

カナダに来て最初の年、TOEFLの勉強を始めた時の状況に似ていた。あの時も、きっぱりとあきらめたが、あの時以上に、もっとしっかりあきらめた。

しかし、幸いもう一つの教科、数学は大丈夫だった。数学のGREで満点、もしくはそれに近い点数を取るのに勉強はいらない。モーツァルトのソナタを聞きながら、できない英語へのストレスだけは感じないように気をつけた。

2回目の試験前には、全然関係のない小説やファッション誌を持っていって読んでみた。気合いを入れたところで緊張するだけである。今日が試験だと分からないような気分に自分をごまかして、やはりストレスを感じないよう、メンタル面のケアを心がけた。

そして2回目も、英語は玉砕。仕方がないので、問題集を2冊買い、とりあえず、どんな仕組みの試験なのか研究した。そして、おばあちゃんの単語カードをボードに貼った時のことを思い出し、参考書のボキャブラリーから似たような神経衰弱チャートをつくり、部屋に貼ってさりげなく語彙《ごい》を増やすように心がけた。

単語チャートを見ていたら、試験勉強の時には平常心であることが重要だと気づき始めた。「この試験の結果が悪かったら、大学院入学はありえない！」と、試験を受ける前の時点で自分を追いつめていたら、他のできることさえできなくなる。焦ると、結果的にもっと困った状況が生まれかねない。ＴＯＥＦＬだって、大学の試験だって、なんとか乗りきってきた。心配はやめて、「これもきっと、切り抜けられる！」とポジティブな心構

GREのためにつくった単語チャート

savant	efficacy	ponderous
rarefy	florid	aggrandize
zeal	complaisant	obdurate
improvidence	misnomer	petulant
deference	venerate	exculpate

えでいようと思った。

そもそも勉強とは、基本的に自分のできることを伸ばしていくためのものである。できないことを無理して引っ張り上げようとするのは、ジャンプが得意でない人にバレーのアタッカーを任せたり、背が低い人にバスケットでダンクシュートをさせたりしようと考えるのと同じだ。自分の能力を責めたり悩んだりするより、「いいあきらめ方」をするほうがずっと大事だ。自分の強みと弱みを見極めて、その二つをどう調節していくか。強みを伸ばすことで自信を保っていくことこそが大切である。

そこで、英語以外にできること、つまり願書に添える志望動機や博士課程に入ってからの計画を綿密に考え抜いた。ステートメント（博士課程に進みたい理由とプロジェクトの説明を短く書くもの）に至っては、何度も何度も徹底的に書き直した。それが、私の強みであり、そのエッセイしか熱意を伝える場所がなかったからだ。

◎苦戦を強いられる時こそ、ご機嫌に過ごす

結局、グレン・グールドが弾くモーツァルトのソナタをもってしても、短期間の英語の勉強において、私はさして賢くならなかった。また、早い時点であきらめたので、3回目

のGREの英語のスコアは、平凡な伸びに終わった。ともかく、パニックに陥ったりストレスを抱え込むことを絶対に避けて、私はこの非常事態を切り抜けた。博士課程出願準備期間も、修士課程のコースにひずみがこないように、うまく自分をコントロールできた。

この時、私は大きなチャレンジに向かう時の、メンタル面での成長を感じた。できないことをどのように受け入れるか。自分にできる他のことでどうカバーするか。この経験から、メンタル面の自己管理のヒントを得たと思う。どんなに苦戦を強いられる時も、パニックが大敵。平常心を保つこと。自分と戦うための強さは、自分で築くしかない。

大学院はハーバード大学以外、すべて合格した。長い秋冬の戦いだったが、修論やステートメントに時間を費やす作戦は正しかったということだ。できない英語をがむしゃらになんとかしようとして悩まず、博士課程で仕上げたいプロジェクトの、自分のオリジナリティーを信じて出願してよかった。

物事は、全体を見て、総合的に考えるべきだ。そして、あきらめる時も、あきらめ方、それが大事だった。辛いチャレンジの時も、平常心を保ってご機嫌に過ごしていたら、自分にしかない熱意は、いざという時に必ず通じる。むしろ、最終的には、「熱意」に勝てるものは何もない。

◎人生は、エンドレスにすばらしい

大学院進学のためにバンクーバーを離れることが確定した。

卒業式では、涙が止まらなかった。握っていた修士課程の卒業証書は、「バンクーバーとのお別れの時」を宣告する文書に見え、たまらなく悲しかった。この街に住むホームステイ先の家族、スティーブン、恩師たち、そしてたくさんの友だち。誰にも、さようならを言う心の準備ができていなかった。卒業が悲しいことはこれまで一度もなかった。この時ばかりは悔しいくらい悲しかった。

私は、結局、プリンストン大学の東アジア学部に進むことにした。あの夏を過ごしたハーバード大学以外なら、どこに行っても同じように思えたし、バンクーバーから離れるという意味では、どこに行っても悲しみと不安は同じだと思った。

卒業式の後、ひとしきり泣くと、日本史の学部長の先生がメールに以前添えていた、英語とフランス語の混じった言葉を、ふと思い出した。今でもなぜその言葉が浮かんだのかまったく分からないが、そのフレーズが私を次の気流に乗せた。

Life is endlessly fascinating, n'est-ce pas?
（人生って、エンドレスにすばらしい。そう思わない？）

もう飛び立つしかなかった。

バンクーバーでのすばらしい出来事は、ずっと私の中に残るもの。そして、これから先も、素敵なことが、人生には永遠にあるんだよ……。その時は半信半疑だったが、この瞬間においてはこれが信じるしかない唯一の言葉だった。

こうして、バンクーバーを離れ、一人でアメリカ東海岸へ移住。博士課程へ旅立つ時がきた。私は荷造りをしながら、２回目のインディペンデンス・デイを宣言した。

SUMMARY

私の勉強法7

どんなふうにストレスから自分を解放するか。それが、大学院入試準備と修士課程の論文書きの時期の課題だった。やたら難しい試験や、時間が足りない状況。これらは、誰もが直面する「精神的にまいってしまいがちな局面」である。

私の場合は、いつも「あきらめ」に救われてきた。TOEFLの時も、GREの時も、自分にできないことを素直に認めて、極力気にしないようにした。また、悩むかわりに、自分ができることに力を込めた。「頑張る」とか「背伸びする」とかせず、実力以上のキセキが起こる確率に賭《か》けずに、着実に、できる分野のことに力を入れるようにした。

結局、苦しい時は、自分ができることをできるだけ、MAXまでやっていくのみなのだろう。そうやってできないことに悩まずに、ポジティブにやっていくと、より健康的に、自分の能力を引き出せる。さらに、そうすることで、次につながるチャンスをも引き寄せられるのだと思う。

また、私の場合、苦しい試験勉強のみならず、思いもかけない運命にまで出会ってしまった。アイビーリーグ大学の博士課程への合格である。バンクーバーからプリンストンへ行くのは、本当にいやだった。しかし、飛び出してみれば、その先にはその先で、いくつもの発見や新しい出会いがある。人生は、本当にエンドレスにすばらしい！

☆「できないこと」は素直に認めて背伸びしない

☆試験でストレスを感じないよう、マインド・コントロール

☆弱点に悩むのではなく、自分の強みをとことん伸ばす
☆慣れた環境から飛び出す勇気を持つ
☆人生は、エンドレスにすばらしい！

第3部

24時間を144時間の濃さにする

～米国・プリンストン大学・大学院編～

途方もない仕事量のこなし方

長い時間ピアノを弾いた。
窓から見える大きな教会の鐘が、時折り時間を知らせてくれた。

7月12日

○とことん快勝したいか、判定勝ちでいいのか

プリンストンは美しい街だった。ニュージャージー州の田舎街。緑の多い小さな街だった。ニューヨークに近いニューアーク空港から電車に乗り1時間ほど。そこから、ディンキー（2両編成の小さな電車）に乗ってプリンストンのキャンパスへ。バンクーバーのブリティッシュ・コロンビア大学も、ハーバードの赤レンガも素敵だったが、この街は、また独特の雰囲気だった。街が緑に囲まれ、まとまりのある、いい閉鎖感があった。「知恵が逃げないように」と、研究者たちが周りの木々に魔法を仕掛けたかのような街だった。

真夏の暑い日に着いた。自分のアパートの契約開始まではまだ2週間あった。その間は、旅行中の家の留守番役兼、犬1匹とネコ2匹のペットシッターとして、教員住宅に住まわせてもらうことになった。

初めての街を、犬を連れて歩く。キラキラと光の多い道を毎朝、毎晩散歩した。立ち止まっては、きれいな光の反射を数式にしたり、噴水の水位を計算してみたり。引っ越してすぐは、どこにいても、バンクーバーの家族、友だち、恩師、みんなのことばかり思い出した。まだプリンストンには友だちがいなかったので、犬用のボートをつくり、ネコ用のジャンプ台をこしらえ、2週間、一人と数匹で静かにホームシックの時間をやり過ごした。

東アジア学部は、もとは数学科があった建物、ジョーンズ・ホールにあった。数学科の建物だった時の面影が、ステンドグラスに数式がはめ込んであるような細かなところに残っており、窓からいっぱいの光が差し込む建物だった。もともと数学科の私には、とても嬉しい偶然だった。

プリンストンの博士号の取得には、歴史の知識だけでなく、言語の習得が必要だった。日本史専攻の私の場合は、英語の他に、ヨーロッパの言語で文献が読めること、中国語の文献が読めること、そして古文漢文の解読能力が要求された。

そこで私は、必修言語科目は、できるだけ早く終わらせようと覚悟を決めた。というのも、それまで英語を勉強してきて、一つの言語をマスターするには、相当の時間がかかることがよく分かっていたからだ。これから博士課程で研究をしていくために必要な言語力は、流暢にお話しできるかどうかではない。重要なのは、その言語で書かれた文献の解読力を早く身につけることだ。そこで、学校に併設された語学プログラムのフランス語短期特講に申し込み、読解力に重点をおいて勉強をした。

会話まで上達しなければならないなら数年がかりだが、フランス語を読んで英語に訳すという作業は、そんなに難しくない。中国語もだいたい同様だった。中国の古典を読み、英語に翻訳する。読解の場合は、調べ方を知っているかどうかで、言語能力にだいぶ差が出る。調べ方さえ身につければ、どの言語も、手のひらサイズの辞書と文法書1冊で、ほとんどの文が解読できるようになる。そこで、フランス語も中国語も、正確な翻訳に必要な「調べ方」をまず習得するよう努力した。

日本史の勉強をしたければ、他のことは、できる範囲のことを最小限のストレスでこなしていくほかない。大学時代、大学院時代、博士課程入学出願時代に、「なすべきこと全部を、完璧にこなしていこうとすると、精神的にもたないこと」には再三気づいていた。

やはりここにきてでも、できることとできないことの見極めが重要だった。どこで勝負するのか、勝負どころを選ぶべきである。どの試合に出て、どこで、どのように勝ちたいのか。この場合、フランス語と中国語は、試合に出てぎりぎりの判定勝ちに持ち込めるように勉強し、日本史の試合でとことん快勝するのが最高のシナリオなわけだ。そう割り切って考えると、心持ち勉強が楽になるし、メインの科目の勉強のほうに本気になれた。

◎1日9冊読み、サッと調べられる本棚をつくる

専攻科目の歴史の勉強のほうはというと、言語の他にも膨大な量の書籍との戦いが待ち構えている。本読みをどうこなすかが、博士号取得にかかる時間を左右する。図書館にはいっぱい本があり、それらを片っ端から読んでいくのは無謀である。そこで、読む本をうまく選択する作戦を立て、どの本をどれくらいの時間で読むのかを計画するのが重要になる。もちろん、関連書籍を手当たり次第に全部読もうとしたら一生かかっても時間が足りないし、少ししか読めなければ論文が書けない。読み物の攻略は、博士課程の学生にとって重大問題なのだ。

私は1日平均して6冊から9冊読むようにした。図書館の蔵書のうち、関係する書物をまず1冊だけピックアップ。その本がある棚のあたりには、関連書が並べてあるので、そのセクションに座り込む。そして、1冊目が終わったら、その1冊に引用してある関係書物で重要なものをメモする。そして、同じ棚の本を眺め、数冊、手に取って、その場で読んでいく。

本を読む時は、その本の主張、アプローチ、長所、短所、オリジナリティーを吟味する。どんな本でも、一言一句ゆっくり読んでいては、何が自分にとって重要なのか分からなくなる。批判ばかりしても、生産的ではない。メインの主張はなんなのか、それを筆者はどのように議論しているか、そして、その本の良いところと、改善しうるところをつかみ取るように速読（スキミング）する。最終的には、その本がどれほどスペシャルであるか、そのオリジナリティーについて、考える。そうすると、本読みはずいぶんと楽な作業になる。

また、読むスピードを上げるために、指で文字を追うことも試されたい。読むラインに手を当てて、読みたいスピードで、指を動かす。すると、目で追いながら読むよりも、はるかに速いスピードで本が読める。目の動きを、指の動きの速さに合わせて動かせるよう、実際にチャレンジしてみてほしい。

　また、速読する時には、ノートの取り方のところで説明した「情報の仕分け作業」の考え方も使う。どの情報が特に重要か、その見極めに専念する。そして、本を読みながらノートを取らず、読み終わってから重要な点だけをいくつかメモする。ここでも、完璧なノート取りをしていては、時間がいくらあっても足りないし、本の内容をノートに書き写したところで、あまり役に立たない。

　ノートはやはり、勉強の効率を悪くするものナンバーワンに違いない。相当量の本が存在する中、私は、自分にとって有用な情報としてずっと覚えておきたいことだけを記録しておくようにした。そして、読み直す必要がある本は、借りてきて自分の本棚に残しておく。つまり、本の内容を一言一句覚えておくわけでなく、必要な時に手に取って見られるように、参考図書としてしばらく近くにおいておく。

　そうやって、自分の記憶と本棚づくりの両面から、知の吸収と蓄積作業を行った。本読みも、語学の習得も、調べ方と調べる環境づくりが大事だ。覚えられないことをどのように自分の身の回りの品としておいておくか、どのようにサッと取り出して使える環境にしておくか、考えてみてほしい。大事な本が10冊あるからといって、10冊まるごと読んで覚えたり、ましてやノートに引用をコピーするようなことをしていては、時間がいくらあっても足りない。「情報の仕分け」を徹底的に頭の片隅において、有用なものを取捨選択する活動こそ、効率のいい勉強法であると思う。

◎論文はがむしゃらに書く、捨てる、書き直す

大学院では、言語と必修クラスの単位を取り終えると、博士号取得候補生になるための試験がある。そこで、私は「日本中世史」と「日本の宗教」、そして「東アジアの数学史」の3分野で試験を受けた。これは、決められた期間、3日とか7日とかで出題されたテーマで小論文を書くもので、私の得意とする類いの試験だった。口述試験やペーパーテストを課す学校もあるので、これから大学院に入ろうとする人は、学校を決める際に、途中でどんな試験を受けなければならないかあらかじめチェックしておくことをお勧めする。

私の小論文へのアプローチは、少し変わっている。最初にブレイン・ストームをする方法、骨組みを書いて肉付けをする方法など、いろんな書き方があると思うが、私はとにかくがむしゃらに書く。乱打する。

どうして乱打するかというと、実際、書き始めて、書いたものを自分で読んでみないと、

エッセイの良し悪しが分からないからだ。そこで、字数制限を気にせず、とにかく「このエッセイの内容を友人に話すとしたらどう話すかな」と、気楽な気持ちで文章を並べる。そして、話をするように、ひたすら乱打するのである。

すると、おもしろいことに、究極に言いたいことは、だいたい書き終えたところで分かる。その時点までこぎ着けると、論点がクリアになるので、気持ちはかなり楽になる。

そこで、一からきれいに論文を書き始める。もうこんなにたくさん字数を書いたのに、と思って下書きを捨てがたいところだが、これだけは譲れない。論文はアイディアと論旨が固まったら、最初から書き下ろす。

どんな分野でも、基本的には100回（もしくはもっと）試して逸品が完成すると、私は信じている。そこで、「100回も試行錯誤を繰り返す作業に比べると、学校の課題など、たったの2回でいいのだから、簡単なほうだ！」と思えば、一から書き直すことも苦しくなくなる。自分の仕事量にいっぱいいっぱいになる前に、大きく深呼吸して、「世界にはもっと過酷な試練がたくさんあるし、重要な仕事をしている人がいる。それに比べたら、自分の課題なんてたいしたことない。そのくらい自分なりに納得する形で書き上げよう！　さあ、2回目に挑戦！」と、意気込んでみてほしい。

たいていの場合、2回目に書いた作品は、最初の作品よりぐんといい。読み返してみると、自分が何を言いたいのか、ストレートに入ってくる。一度それが分かると癖になり、二度書きせずにはいられなくなる。ぜひ、面倒くさがらずに試してほしい。

また、この方法は、もしものためのバックアップ策でもある。体調が急に悪くなったり、友人を助けなければならなかったりと、急用は突然起こる。ざっと荒書きをしておけば、いざとなったらそれを直して出せば、焦ることなく、とりあえずの線はクリアできる。締め切り内に完成できるかできないかの違いは、とてつもなく大きい。1回目に書いた「とりあえずのもの」を持っておくのは、緊急時への備えとしてもお勧めである。

そうは言っても、なかなか乱打できないよ、という人に、私の頭の中でのパッション・カーブ（熱中度曲線）をご紹介しておこう。これは小論文に限らず、プロジェクトであれば、なんでも当てはまると思う。

◎熱中度曲線を描いて、努力のしどころを押さえる

もともと、やりたいことを始める時は、勉強や仕事が苦にならないものだ。そのプロジェクトへの期待にわくわくしている状態、つまり心から湧き出る「情熱」がプロジェク

プロジェクト完遂のためのパッション・カーブ

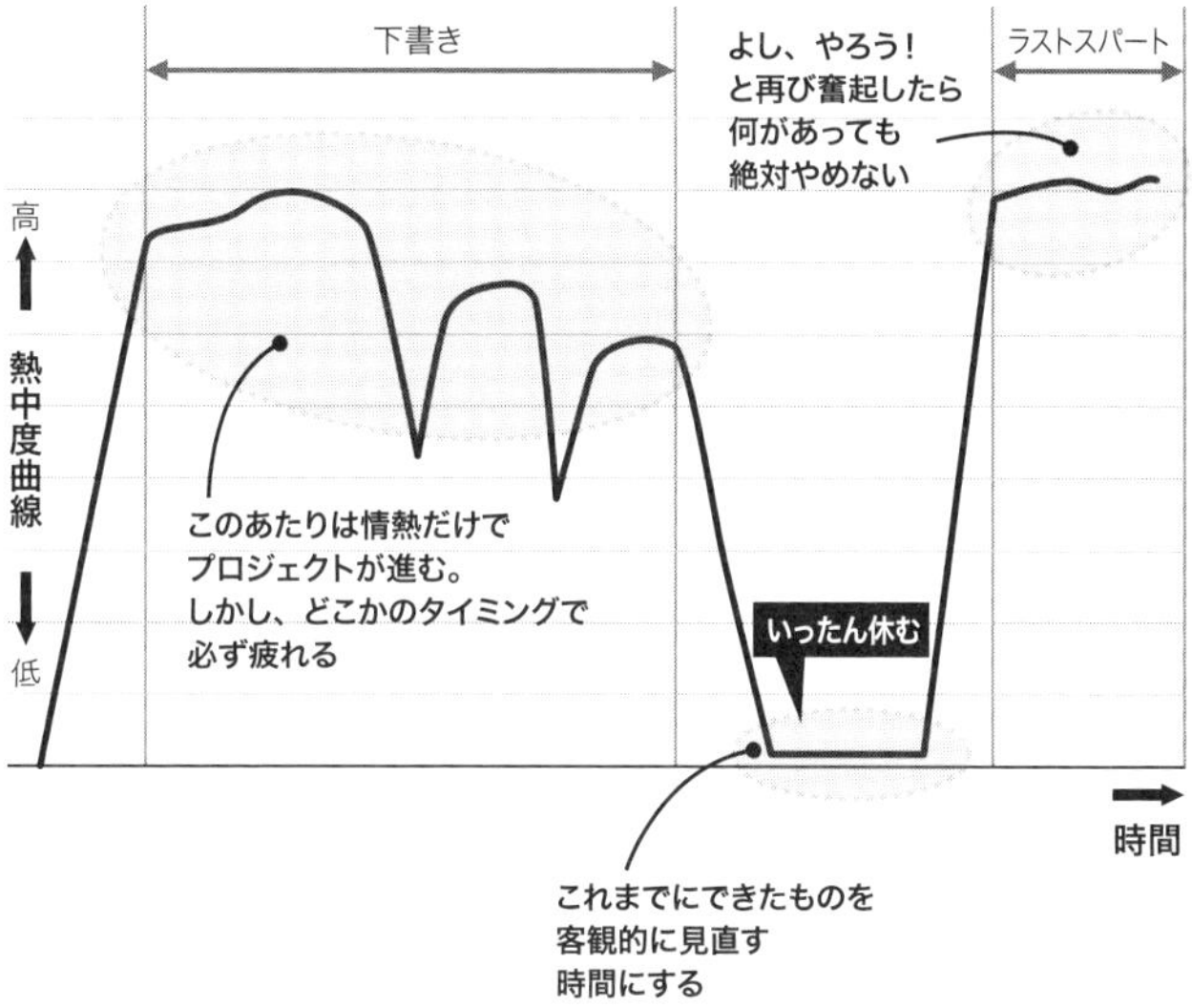

下書き
よし、やろう！
と再び奮起したら
何があっても
絶対やめない
ラストスパート
高
熱中度曲線
低
このあたりは情熱だけで
プロジェクトが進む。
しかし、どこかのタイミングで
必ず疲れる
いったん休む
時間
これまでにできたものを
客観的に見直す
時間にする

トを進めてくれるからだ。初めの頃は、あまり苦しむことなく物事は進んでいく。しかし時間が経つと、当然のように疲れがきて、あるいは、行き詰まって、プロジェクトの進みは悪くなる。

そこで、最初の心の状態の時、つまり、情熱に任せて気分よく仕事をしている間に、全体の目鼻立ちがつく程度の仕事をこなしておくようにする。最初の1行の殺し文句を考えていても、始まらない。2段落目で立ち止まっても意味がない。大まかな構図をスケッチするように、とにかく、話を進めることに全身全霊をそそぐ。突っ走って全体像を書く。そして、疲れたら無理をせずにいったん休む。

休憩したらもう一度、パッション・カーブを見直してほしい。どんなプロジェクトも、①どう休むか、②休んだ後にどうやって奮起点を決め、③どんなモチベーションで臨むか、そこにすべてがかかっている。その奮起点、リスタート地点こそが「努力すべき点」で、「努力でなんとかなる点」なのだ。最初から最後まで努力するなど、所詮無茶な話だ。努力のしどころを押さえて、効果的に努力するのがいいと思う。

いったん休憩すると、休みすぎたと自己反省に陥る人をよく見かける。休みすぎてしま

鍵を握るのはリスタートのタイミング

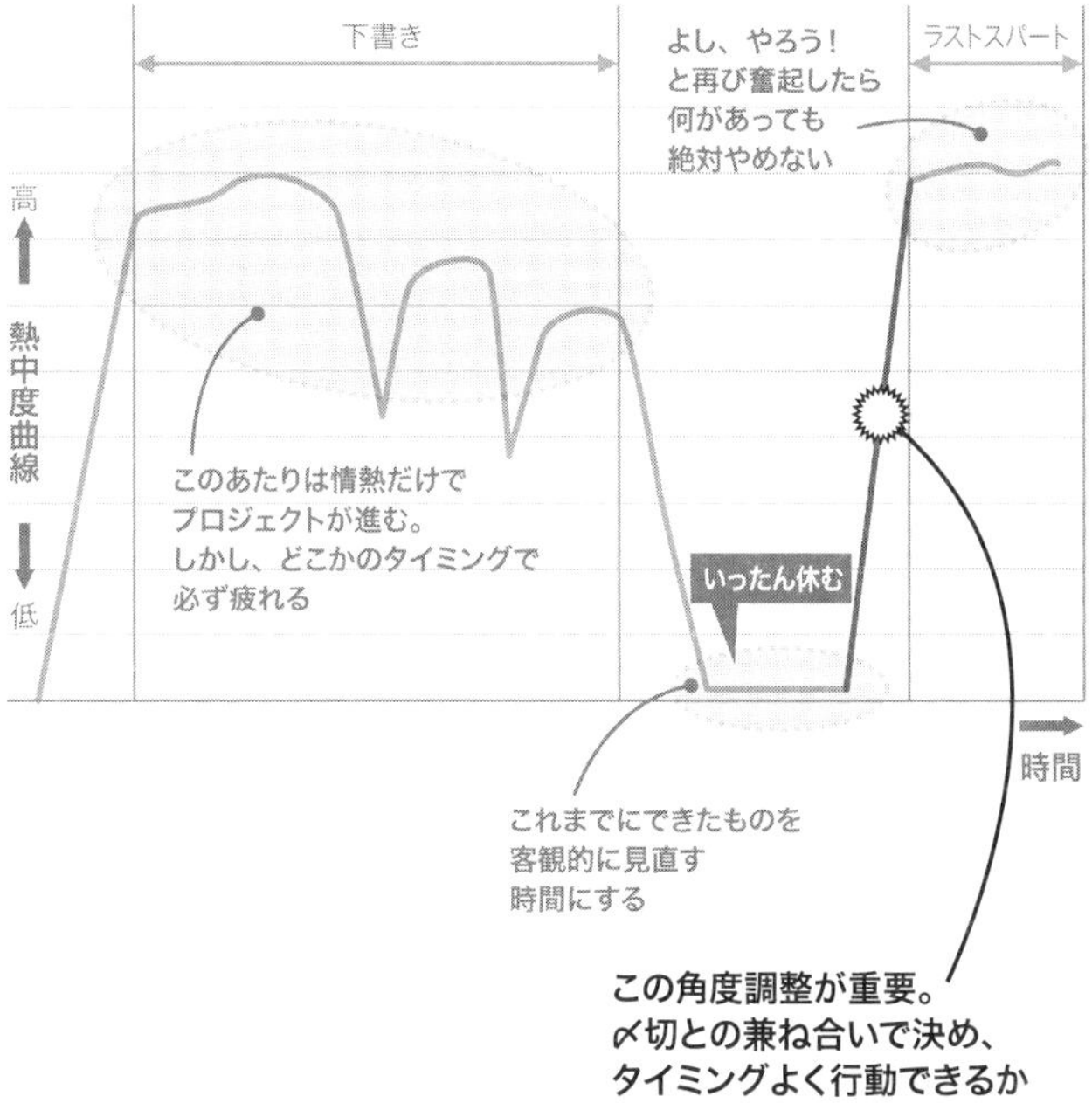
下書き
ラストスパート
よし、やろう！
と再び奮起したら
何があっても
絶対やめない
高
熱中度曲線
低
このあたりは情熱だけで
プロジェクトが進む。
しかし、どこかのタイミングで
必ず疲れる
いったん休む
時間
これまでにできたものを
客観的に見直す
時間にする
この角度調整が重要。
〆切との兼ね合いで決め、
タイミングよく行動できるか

うこともたしかにあるが、そこで自分を責めるより、休んでいる時は、今までやったことを違う方向から考えていたんだから！　とポジティブにとらえるほうがいい。実際の作業をしていなくても、頭のどこかでは「考えていた」のだから、何もしていなかったわけではない。ましてや、休むことに罪悪感を感じる必要など全然ない。

ただ、さあもう一度やろうと腰を上げるのが遅すぎたり、さあやるぞと思っても、じりじり、もたもたしすぎることで、締め切りがきてしまう人も多い。私もそうやって何度か失敗した。そうならないためには、最初にそのプロジェクトをやろうと思った時の情熱を思い出し、再沸騰させるのがいいと思っている。リスタート地点で、初心に戻るのは、意味あることである。

最終的な仕事の出来映えは、休んでからの起き上がり、つまり仕上げにかかっている。したがって、よし！　と思って立ち上がったら、その時点から締め切りまでの時間でできることをＭＡＸでやる。絶対にやめない。そうすると、下書きで乱打した時点では8割のものが、より10割に近づき、情熱次第では、10割以上の出来映えにもなる。

◎締め切りは絶対。時間内にどれだけ成果を出すか

締め切りは絶対だ。ずるずる引き延ばしても、よい作品や仕事はできない。学校でも、スポーツでも、とにかく人生全般、時間内にどれだけの成果を出せるかが重要だ。締め切りを延ばしたところで、いい仕事ができるとは限らない。締め切りを延ばす時は、たいてい、向いていない仕事をしているか、いやいやながら仕事をしているかのどちらかである。そういう仕事には、取り組む意欲を削《そ》ぐ黒い要素が必ず潜んでいるはずだ。

大学院の時に、書きたいサブジェクトであったにもかかわらず、どうしてもその教科の先生とうまが合わず、いやいやながらエッセイを書いたことが一度だけあった。基本的なスタンスがまったく違うタイプの先生で、向こうもこちらも「なんだか合わないね」が暗黙の了解となっていた。しかし、そのような完全に波長の合わないペア組みは、いろんな場面で、望むと望まざるとに関係なくありうる。

私の場合も、その先生のコースをクリアするのは必須だったため、いやでも課題は提出しなければならない。寝ずに机に向かって作業もしたし、カフェで大げさではなく本気で100杯ぐらいコーヒーを飲んでみた。……しかし、そのエッセイは、案の定、締め切り

に間に合わず、そして数日締め切りを延ばしてもらっても、結果的に質がいいものはできなかった。

書くことよりも、人間関係の苦手意識で仕事ができないのは初めてだった。しかしこの経験から、おもしろくない仕事の締め切りを延ばしても、悩む時間が長引くだけでなんの成果も見込めないとよく分かった。太刀打ちできない仕事、つまり、自分が積極的に取り組めない仕事は、あらかじめ断るか、とりあえずあきらめ、締め切りを守ったことで満足する。そのほうが、締め切りを延ばして他の仕事を滞らせるよりはるかにマシだと、大学院時代のこの経験で気がついた。

◎勉強に没頭、気づいたら5日経っていた!

博士課程は、卒業まで相当な時間がかかるのが普通だ。私は3年だったが、その3年間は、勉強に没頭していたので、短いようで長かった。いつ、どのタイミングで集中するか次第で、24時間は72時間の価値にも、144時間の濃さにもなることに気づいた。

また、本当にやりたいことをやっていると、人は時間が経つのを忘れる。私は、時間を忘れて5日経っていたことがある。その時ばかりは自分で自分の集中力に驚いたし、友だちも心配させてしまった。大学院生のセミナーのクラスで、16世紀の病院史をテーマにリサーチを始め、だんだん没頭していき、読んで、読んで、考えに、考えて……。途中で、冷蔵庫にあるものを食べたような気もするが、何回食べたかは分からない。寝てはいなかったと思う。じっと部屋にこもっていて、ついにお風呂に入らなくちゃと思い、シャワーを浴びてコンピューターを開けたら5日分のメールがたまっていたので、愕然《がくぜん》とした。時間泥棒にあったのだろうか。好きな本に没頭して、何時か分からなくなるような感覚で、5日が経っていた。

5日間ということはなかったが、博論のプロジェクトに取り組んでいる間は、ずっとこんな感じだった。とにかく集中して読み、書き、真剣に考え抜いた。博士課程に入った時の、最初のパッションがとても強かったせいだろうか。日本史を学ぶことへの熱意は長続きして、決して醒《さ》めることがなかった。私の博士課程は、3年だったがとても濃い時間だった。

SUMMARY

私の勉強法8

博士課程では、途方もない勉強量が課される。そこで、どの分野を一番の強みにしたいのか、どのような必須科目があるのかを早くに見極め、自分に必要な勉強を、選んでこなしていかなくてはならない。

当然、苦手な仕事にもぶつかるが、そんな時もデッドラインだけは守っていきたい。時間は有限なのだから、終わらない仕事を引きずるのは、マイナスにしかならない。

また、パッション・カーブのグラフのように、勉強をしている自分を客観的に見ることも大事だ。グラフにするなど、自分の仕事の進み具合を実際に書いてみてはどうだろうか。自分が今どこの段階にいるのか、その仕事が終わるまでにあとどれくらい作業が必要なのか、自分の仕事を自分で見張ることができる。そうやって仕事の進み具合やペースを調整するのが、デッドラインを守るコツだと思う。

時間が経つのを忘れて何かに没頭する生活習慣は、社会的には時間にルーズになるのでなかなか許されないが、大学院生や研究者としては実に生産性がいい。イギリスにいる今でも、パッション・カーブに乗り、乱打しては休み、リスタート地点から、がむしゃらに仕事をする。そんな集中力がいつの間にか身についた。

もともとは自分にとって一番効果的な勉強法をルーティーンで繰り返すだけだった。それを数年間続けるうちに、カジュアルにエンドレスに勉強することが習慣となった。学校を卒業して、仕事もするようになった今では、親しい友人が常に近くにいなくても孤独にならず、どこででも没頭して仕事に取り組めるようになった。近くの教会の鐘の音が時を知らせると、はっと我に返る。集中して仕事をする習慣は、自分を変える。できる自分をつくる。

☆バランスよく勉強をこなせるように、力の入れどころを決める
☆「やるべきこと」より「やりたいこと」に情熱をそそぐ
☆本読みは、ポイントをつかみ、自分に有用な本棚をつくる
☆熱中度曲線を描き、努力すべきポイントをつかむ
☆締め切りには徹底的にこだわる

熱意は必ず伝わる

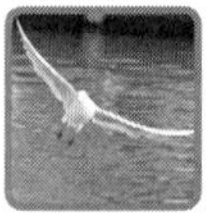

ケンブリッジの街並みの一角。
フィッツウィリアム・ミュージアムに行ってみる。
広い。おもしろい。1日では回りきれない!

7月13日

◎膨大な量の史料に押しつぶされそうになる

今までの勉強は、語学習得だったり、大学の授業に出たり、卒業に必要な単位を取ったり。目の前のハードルを飛び越えさえすれば、そこに終わりがあった。しかし、博士論文は、別物だった。膨大な量のリサーチをしなくてはならないし、自分一人で、こつこつと論文を書く作業の繰り返しになる。論文を書きながら、「たくさんの人に、これまでの勉強の成果をうまく伝えたい!」という気持ちが高ぶってきた。上手に書こうと思えば思うほど、力が入って書けなくなる時もあった。

　プリンストンで博士号取得候補生になってから1年ほど、東京大学の史料編纂所《へんさんじょ》に、研究生としてお世話になった。日本での滞在期間に、編纂所や国会図書館はもちろん、大阪城や京都で史料を集め、とてつもない量の史料と文献を手にした。そして、それをアメリカに持ち帰り、博士論文を書くことになった。

　プリンストンは、とても小さな街だったので、博士論文を書く期間は、コロンビア大学の図書館を使いながら、ニューヨークで過ごすことに決めた。世界に影響力のある街、大都会のニューヨークに住んでみたいと思ったからだった。また、修士課程の時にUBCで一緒に勉強していたクリスが、コロンビア大学の博士課程に進学していた。クリスとノリというバンクーバー時代に仲良くしていた友だち夫妻が住んでいたことも、ニューヨークに惹かれる理由の一つであった。

　ニューヨークでは、たくさんの史料の整理をしながら、博士論文の枠組みを考え、そして本文の乱打を始めた。毎日、いろんなことを考えては書き、史料を読んでは書き。カジュアルにエンドレスに、とにかく乱打を続けた。どれだけ没頭して書いても書ききれない。いつもそういう気がしていた。

しかし、創作にかけられる時間は限られており、ページ数も有限である。そこで、博士論文も、修士論文同様に、限られた時間に書ききれるだけを書こうと決めた。できないことは、後でこのトピックを題材とした本を出版する時に書くようにしようと、課題付きのフレームワークにしたのだ。果てしなく続く議論や内容を、どうにかして枠にはめなくてはならないことは、どんな分野でもある。「博論」もそうだった。そこで、今回も、プロジェクトの大きさとタイムラインは「自分で決める」という基本姿勢を変えずに、博論書きに取りかかった。

博士論文では、修士論文より多くの史料と文献を扱った。日本で集めてきた北政所ねいの手紙の英語への翻訳と、彼女の人生の足跡を中心に綴った。今までに取り上げられていない史料を網羅するように書き上げたので、データベースっぽい仕上がりになったが、集めてきた史料を丁寧に扱う気持ちだけは忘れずにいた。400年以上も遡《さかのぼ》る歴史の史料。一つひとつ、できるだけ大切に取り上げた。

◎ハーバード大の公募に思い切って応募

博士論文の目鼻立ちがはっきりしてきたのは、ニューヨークに引っ越して半年後くらいのことだった。そして、その頃偶然、ハーバード大学でカレッジ・フェローという、博士号を取得してすぐの新米研究者が1年から2年クラスを持てる、新設のポジションの公募が出た。

博士課程3年目の学生の私が出願するのは早すぎるかとも思ったが、分野が「中世の日本史」。ピンポイントで私の分野にかかる募集だったので、応募させてもらった。

出願準備を進めたのは、寒い雪の日。ニューヨークの自分の部屋で、締め切り直前まで乱打戦を展開していた。こうじゃない、ああじゃないの繰り返しというより、いつもの熱中度曲線が、疲れ知らずのMAXに保たれたままだった。可能な限りの時間をすべて費やして、書き込んでいた。やる気があったというより「重要なことである」という指令が脳にびゅんびゅんきていた。何もかも忘れて没頭していた。

それまでに身についていた勉強の習慣がいざという時に役に立った。提出する書類は多かったが、どれも最後の1秒まで、集配に来てもらった郵便の方を玄関に待たせてまで、入念にチェックした。外は吹雪だった。

すると、まだまだ吹雪の日が続く中、書類選考の次の段階である面接の案内が入った。

◎突然の大雪で就職面接に大幅に遅刻

面接は、真冬の3月。東アジア学会が開催されているシカゴまで飛ぶことになった。ニューヨークは、猛烈に寒く、毎日、大雪。そんな中、本当に飛行機は飛ぶのか。半信半疑、こわごわと予約をした。

飛行機は無事飛んだ。

そして、着いたシカゴはまずまずの寒さだが、ニューヨークのように雪は降っていない。ダウンタウンのホテルで1泊、面接が待ちきれずうずうずしていた。

しかし翌朝、突然の大雪に見舞われるという大惨事に巻き込まれる。おそろしいほど降りかかる大雪と、そんな天候でも強行開催されたマラソンにともなう通行止めで、遅刻を余儀なくされた。

危うく、ニューヨークからシカゴにまで来たのに面接を受けられず、という悲しい状況になるところだった。しかし、なんとか雪をかき分け会場まで40分歩き、ベストの状態からは程遠い見かけと心持ちで、面接官の教授に会う羽目になった。

せっかく呼ばれた就職面接に、いくら自分の過失ではないとはいえ、15分もの大幅な遅刻をするとは失態も失態。もちろん、この時点で、この就職は叶わないと確信していた。この状況で採用を期待することには無理があった。

しかし、面接官の教授に勧められるがままに着席すると、教授は、あの雪の日にニューヨークで乱打して作成した文書のコピーを持っていた。当然といえば当然だが、その紙を見たのが開き直りのきっかけになった。自分の部屋で精魂込めて書いた書類が、そこにある。テーブルの上の数枚の紙が、私を平常心に引き戻した。

そこで落ち着きを取り戻し、博士論文の要旨を説明し、ハーバードで教えたい日本史の内容を話した。続いて、今後の研究予定と、学生の指導方針と指導要綱。オリジナルのシラバス。書いた内容を思い出すように、丁寧に説明をした。面接官の先生も、辛抱強く聞いてくださった。

この時の心境をたとえて言うと、目の前でバスが発車してしまうのを見た時の一瞬の燃えるような焦りと激しい悔しさ。それを乗り越え、次のバスを待つ間にゆっくりと話をする、そんな感じだった。雪の中を急いで面接会場に向かう途中では、そこにあるチャンスを逃してしまうという爆発的な悔しさに苛《さいな》まれたが、もう取り返しがつかない、次のチャンスはきっと来るから、まあいっか、と開き直る。そんな感覚に近いものだった。

また、この面接に通らないと後がない状況ではなかった。これがダメでも、また次がきっとある。そんなふうに速攻で気を落ち着けることができたのは、3年目にして早くも始めた就職活動の強みだったと思う（これが5年目だったら、相当パニックだったかもしれない……）。

大雪で遅刻をした就職面接。結果は絶対ダメだろうと思っていたので、これもいい経験だったと考え、シカゴ観光でショックを拭い捨てることにした。面接が終わって外に出ると、吹雪の後の晴れ間がきれいで、目の前のやわらかい光はせめてものなぐさめのようだった。

ホテルから近いミレニアム・パークの特設スケート場で、初心者スケーターの間を縫うように、学生時代のアイスホッケーの練習ばりのスピードで暴走し、ストレスを発散させた。おまけにミュージカルまで一人で観た。そうして、来る前より晴れ晴れしい心持ちで、ニューヨークの家に帰った。

すると、数日後、なんということか、ハーバードのカレッジ・フェローに採用するとの通知がきた。29歳でハーバードの教壇に立つことになったのだ。熱意と自信があることは、どんな見かけや状況であっても、伝わるものなのかもしれない。それまでの経験上、薄々そうかもと感じてはいたが、この時ほど「熱意が必ず伝わる」ことを確信した日はなかった。

SUMMARY

私の勉強法9

博士論文のような長期にわたる仕事は、自分で枠組みと時間配分を決めて、自分のできる範囲はどこなのか、その現実的な実現性を見極めて仕上げていく必要がある。またオリジナルなプロジェクトには、概して前例がない。お手本がない時こそ、自分の手で、自分ができる最高のものをつくるしかない。私も、博士論文は、制限時間内に自分でできるMAXのことを書こうと、自分で決めた基準のラインと戦った。

また就職試験のような重要案件にも、ハプニングは起こる。私の場合、就職の面接で、突然の吹雪に見舞われて、大幅な遅刻をした。その経験を通して、平常心で自分の伝えたいことに集中できるかどうかが、どんな場合でも重要だと知った。平常心でベストを尽くせれば、結果はどうであれ後悔しない。

博士論文の執筆と最初の就職で分かったことは、何事も、自分にしかできないことを、自信をもって遂行することが重要だということだった。そうして自己最高記録を更新していると、必ず次のステップへの扉が開く。

ケンブリッジのフィッツウィリアム・ミュージアムには、1日では回りきれないくらいの展示品があった。その膨大な量のコレクションを見ながら、博士論文を書いていた時の、押しつぶされるような気持ちを思い出した。果てしない量の史料に、どんなふうに立ち向かってよいか、最初は分からなかった。しかし、1行1行、あきらめずに書いていった。その作業は、この一つひとつの展示品を、美術館に何度も行って見て模写するかのようだった。今、イギリスに来て、やっと博士論文の緻密な作業を、思い出として振り返ることができる。

☆重要な案件は、最後の1秒までとことんやる
☆予想外の展開になっても、できるだけ平常心でベストを尽くす
☆早め早めにチャレンジすれば、心の余裕が持てる

☆熱意と自信は、必ず伝わる

☆大きなプロジェクトも、一つひとつのステップが大事

第4部

結果を出すには準備がすべて

～米国・ハーバード大学・先生編～

教えることは最高の学び

イギリスに着いてから描いた絵日記を眺める。
毎日、思いがけないレイアウトの絵ができ上がっている。
まるで、この街の活気が絵にも息づいているようだ。

7月14日

○前任の日本史クラスは履修者2名

ハーバードに向かったのは、6月下旬。ザ・サムライの夏期講習が終わって以来、5年ぶりだった。教える科目は、中世の日本史。ザ・サムライの時に出てきた疑問から始まった私の日本史の勉強。私は、自分のコースを「レディ・サムライ」と名付けた。

そして、9月からの授業の前にクラスの準備に取りかかる。勉強の日々がまたやってきた。私のクラスの中心になるテーマはなんだろう。これまでの何千年もの歴史史料から、どんなものを提示して、どんなことを議論したらいいのだろうか……。迷いながらも、秋からの授業の準備を進めていった。

実際のところ、ハーバード大学での日本史クラスの履修人数は、かなりくすぶっていた。最近の社会情勢、国際関係の視点から明らかなことではあるが、日本の国際的プレゼンスは急降下している。経済も、政治も、文化も低迷期の真っ只中である。その状況を踏まえると、海外の大学で日本史を履修することのメリットが、直感的には考えられない。ハーバードでも、日本の低迷を反映するかのように、日本史への関心はすこぶる低かったのだ。

私の前任の先生の日本史のクラスは、わずか2名の履修者という、もはや大学のクラスというよりも、家庭教師の状態だったそうだ。さらに周りを見ても、東アジア学部はなんとも弱小。2名、5名、8名と、どのクラスも軒並み履修者数が1桁台である。日本史のクラスに人を集めるのは至難の業、そんなことは当然無理だという状況を目の当たりにしたのである。

その状況を踏まえ、履修者数に期待せず、とにかく何人であっても楽しくやっていこうと思った。1年目のレディ・サムライの受講生は16人。東アジア学部にしては多いが、そんなに大きなクラスではない。みんなが名前を覚え、ニックネームで呼び合えるような、アットホームなクラスルームになった。

◎出身地バラバラの学生が自由に語り合う

授業をすること自体に、プレッシャーはなかった。学生と向かい合って、考える時間ができたのは、むしろ楽しかった。教えることは、学生として学ぶことよりも、はるかに勉強になった。

授業では、最初の2週間、自分がレクチャーをして、概要の説明や教材の紹介をする。その後は学生がローテーションを組み、授業の始めにプレゼンをする係を二人ずつ決めておく。プレゼンでは、読み物の内容をざっくり説明し、二つか三つの質問をクラス全体に投げかけてもらう。この授業の組み立て自体は、どこにでもありがちな、標準的かつ単純なパターンのものだった。

しかし、授業の最初に学生のプレゼンを持ってきたのは私のちょっとした工夫だ。これにより、学生は毎回時間どおりにやってきた。プレゼンをする友だちの身になれば、遅刻して話を途切れさせたくないのは当然の心遣いである。これが、毎回、私の話で授業を始めていたら、数分遅刻するくらいは平気だったと思う。友情に支えられた時間厳守の姿勢が自然と生まれていた。クラスメートの話を聞き、さらに自分の予習の成果をそこで発揮し、議論に勢いがつくという、いい雰囲気の展開になっていった。

そして、このクラスの歴史の学びの中心は、だんだんと「語り」に重きがおかれるような流れになった。なぜならば、16人の学生たちの出身地は世界各地バラバラだったからだ。アメリカの都会も田舎も、カナダも、香港も、トルコも、アフリカの地方も。ありとあらゆるバックグラウンドを持った学生が、日本に関する予備知識なしで、日本史を勉強していた。彼らが感じること、思うこと、学ぶことは私が想定していた以上にバラエティにとんだものだった。

クラスの中では、みんな自由に「語り」合っていた。先生である私も、学生と同じように勉強した。ザ・サムライの時にクラスメートと議論を重ねた時間が、そのままクラスルームでよみがえったようだった。こんなふうに、先生と学生は、常にダイアローグの糸の両端を引っ張り合っていかなくてはならない。先生になっても学びの姿勢を保っていかなくてはと感じた。

ハーバードでの1年目の秋学期は、あっという間だった。これまでより時が早く過ぎ去り、目の前に次から次へと迫ってくる仕事を、モグラたたき調にノックアウトしていった。学生と授業中心の毎日が、足早に過ぎていった。

◎「先生としてのプレゼン」で大切なこと

1年目の春学期の授業「ＫＹＯＴＯ」のクラスルームの雰囲気は抜群だった。20人が持ち寄った才能のハーモニーは、今でも忘れられない。また、全員の学生が興味を持って勉強についてくるだけに、先生としての責任も重く感じられるようになった。しっかり準備をしておかないと授業、つまり学生の前での「先生としてのプレゼン」はうまくできない。先生としてしっかりとした自信を見せないことには、学生との信頼関係が築けない。元気な学生の期待に応えたくて、私はさらに勉強を重ねていった。

まず、自分がこれまでやってきたプレゼンと、教育としてのプレゼンは違うということに気づいた。教壇で行うプレゼンは、先生が単に自分の考えを発表するのではなく、それを踏み台、たたき台にして、学生が学生なりの見解を持てるように導くこと。個人の考える力を発揮させるよう促せるかどうかである。クラスルームで示す自信とは、「絶対である」こととは違う。

そして先生としての自信とは、自分なりにベストの準備をしている状態のことであり、その自信を学生に感じてもらうことで、より活気的で生産的な議論の場を提供できる。

だからこそ、がむしゃらに学生同様に勉強していくだけでは足りない。先生としてレクチャーをしていくための自信は、急にはつくれない。日常のあらゆる面をコントロールしてベストの状況を保つことから、すべては始まった。ふだんの生活ぶりを整えて、きれいな服を着て、毎日を楽しむ。それを実践して、成功している教授が、実際、周りに二人いたので、参考になった。

同じ学部のある教授は、4年ほど前にいきなり音楽に目覚めたらしく、初心者ながらピアノの練習をするのが楽しいと、趣味を人事そうに語られていた。また、もう一人の教授は、毎日ネクタイとスーツのコンビネーションをかえてくる、ファッショナブルで素敵な先生だった。そんな二人の先生を見ていると、自信や余裕、人柄は、学校という枠を超えたところで培われているのがよく分かった。私も、まずは先生生活を充実させたいと思い、新しいルーティーン（日課表）を書いてみた。

ハーバードでの新しい日課表

	Monday	Tuesday	Wednesday	Thursday
7				
8	Figure Skate		Figure Skate	
9		Preparation for 11:30 class		Preparation for 11:30 class
10				
11	Preparation for 13:00 class		Meetings	
12	Lunch	Lady Samurai	Lunch	Lady Samurai
13		TF Meeting/Lunch	Meetings	TF Meeting/Lunch
14	History of Promises Seminar			
15		Office Hours	Piano	Office Hours
16				
17	Piano	Piano		Piano
18				
19				
20				
21			Reading & Writing	
22	Reading & Writing	Reading & Writing		Reading & Writing
23				
24				
25				
26				
27				

◎毎日2時間のピアノでイライラを乗り越える

新しいルーティーンでも、学生時代に成功した4：3の黄金比率を取り入れ、月曜日から木曜日までびっしり仕事の予定を入れた。4日間は、全力で仕事に集中し、あとの3日は、フレキシブルにいくという、相変わらずの方針だった。

朝は、絶対に起きなくてはいけない義務を入れ、ぐずぐずとベッドにとどまるのを防止する。ホッケーに続き、大学院から習っていたフィギュアスケートを月曜と水曜の朝に持ってきた。フィジカルに運動する時間を入れておくことは、メンタル面にもいい影響を与えるので、欠かせない。

火曜と木曜の午前はまるごと、授業の直前の準備にあてる。授業の準備は、基本的にこの短時間に猛烈な勢いで仕上げる。この他の時間にだらだらやっていると、日常のすべてが授業の準備で終わりかねないので、火曜と木曜に早起きして自分を追いつめ、授業までの間、全集中力を傾けて短期決戦に臨むことにした。

誰か相手に合わせて外に出かけなければならない用事は、水曜にまとめて入れるようにする。そうやって、部屋にいる日と出かける日を分けておくと、時間の微調整がききやすいので、遅刻などのミスが減る。

さらに1日の終わりには、仕事で高揚した気分をクールダウンするために、ピアノを2時間ずつ弾いた。ピアノはカナダとプリンストンではまったく弾かなかったが、日本では小さい頃から弾いていた。音楽学科でグランドピアノが2時間借りられることを知り、そこでピアノを弾きながら1日を振り返り、記憶の反芻活動をし、さらに、夜にしなければならないことのプライオリティづけをした。

仕事の量に負けそうになってストレスを抱えたり、仕事上での問題にイライラしたりする時もある。しかし、そんなことを、周りの親しい人たちに愚痴っている時間はもったいない。「忙しい」と言いふらして回っても、何も片付かない。ストレス・マネジメントとアンガー（怒り）・マネジメントとして、自分なりにストレスやイライラを乗り越える方法を持っていなければならない。私にとっては、それが毎日2時間のピアノだった。

仕事は常に山のようにある。どれを先にこなすのか「決め撃ち」しないとキリがない。仕事の底なし沼にはまってしまう。そこで、このピアノの時間で、学校での興奮とストレスを落ち着け、その夜にすべきことに優先順位をつけ、自分の時間を機嫌よく有効に使える作戦を考えていたわけだ。

◎「いい先生」とはふだんの生活も素敵な人

そうやって、日常生活のリズムを整えることは、それ自体が「授業の準備」だった。いくら知識が豊富でも、天才肌でも、それだけでは「いい先生」と見なされないと、自分のこれまでの恩師の様子と、ハーバードでの学生の反応でよく分かっていた。私は、恩師の知性と人格に導かれてここまできた。自分も、一番スマートな人間であるよりも、一番包容力のある、学生のための先生でいたいと思った。だからこそ、生活のあらゆる面を改善し、ハッピーなムードを保つルーティーンをつくって、効率よく仕事をこなすことに力をそそいだのだった。

SUMMARY

私の勉強法10

準備がすべて。このことは、結局何事にも共通している。オリンピックへ向けた準備中のイギリスでも、それをひしひしと感じる。ゴミ拾いから交通整理まで、本番に備えて、一人ひとりの心がけを促そうという取り組みが行われている。ベストの状況をつくるとは、小さなことの繰り返しから始まる。そのような日々の習慣は、必ず本番でポジティブな結果につながっていくに違いない。

準備中に感じる本番を待つ活気もいい。待ちきれない思いで、本番に向けて助走し、加速する。そんないい運気は周囲に波及する。確実に周りの雰囲気をスペシャルに仕立てている。私のハーバードでのルーティーンも、この気合いづくりによく似ていた。

イギリスに来てから、毎日描いている絵日記。そのレイアウトも、これまでとは全然違うものになってきている。私は、環境を感じて、流れに応じて、生きている。毎日何かを学んでいる。そんな自分を、あらためて感じる。イギリスで、自分をもっと前向きにさせる力を感じている。

☆学生と先生が共に学べるのがよいクラスルーム
☆自分をアピールするプレゼンと先生としてのプレゼンは別物
☆4：3の法則で生活のリズムを整え、仕事に全力投球
☆趣味を活用してストレスとイライラをマネジメント
☆なんといっても準備がすべて。ベストの結果は日々の習慣から生まれる。

アクティブ・ラーニング

ハーバードでの日々の夢をよく見る。
壮絶に楽しかった。そう思いながら、ご機嫌に目が覚める。

7月15日

◎100人以上が履修届を出した2年目の春

ハーバードでの1年目のクラスは16人と20人。2年目の秋は39人。学内全体で見たらそれほど人気講義というわけではなかったが、東アジア学部のクラスではとても多いほうだった。そして2年目の春学期。レディ・サムライのクラスに、いきなり100人以上が履修届を出した。3桁となると、学内でも人気のクラスと評判になる。

ハーバードでは、学期が終わるごとに、学生から先生への評価が学内のネット上で公表される。私は、1年目から、学生がつけた授業評価の点数がとてもよかったため、「ティーチング・アワード」をいただいた。そのおかげで、クラスの人気に加速がついたのだと思う。私のクラスでは、歴史という教科に、コンピューターを使った課題を導入した。その新鮮さも、多くの学生を引きつける要因となったのだろう。

そんな2年目の春。私の3回目のインディペンデンス・デイが、雪の日のハーバードの校庭、「ハーバード・ヤード」でやってきた。

◎「いい勉強」には「いい議論」の場が不可欠

大学と大学院を出て2年目のまだまだ新米教師。それなのに、想像をはるかに超えた大人数のクラスを持つことになった。今までのように、学生のプレゼンテーションから始める授業のやり方は、当然無理。100人以上を一斉に学ばせるにはどうしたらいいのか。どうしても殻を破らなければいけない局面にぶつかった。

しかし、実際、どのように変えていったらいいのか。自分が先生になってしまったので、他の先生に聞いている場合じゃない。クラスのことは、基本的に自分で決めていかなくてはならない。そこで、自分が学生時代に、どんな課題で能動的に考えてきたか、どんな場所で新しいアイディアにたどり着いたか、その経験を思い出してみることにした。まずは、今までの自分の勉強法を振り返ることにしたわけだ。

すると、「よい勉強になった」というケースは、「いい議論」をしたという経験とセットだった。さらに、その議論をするための、能動的に考える場所が必要だった。講義を聞くだけで勉強になったと思えるケースはまれで、聞いているだけで自然にアイディアが浮かんだことも、ほとんどなかった。授業から離れた友人との会話の場で、あれこれ掘り下げて考え、いいアイディアが浮かんできた時に、いい勉強になったと感じた。つまり、講義を聞くだけでは、ダメ。記憶を一人で反芻しているだけでも、ダメ。能動的な学びには、議論を深める場が必要で、話し相手になる人がいなければならない。

そこで、講義や試験だけではなく、100人を3、4人のグループに分けて、グループ・プレゼンを課すことにした。ハーバード大学の学生は、かなり積極的で、自分をアピールするのに躊躇などない。しかし、自分がリーダーシップを取るだけでは、物事が進まないことは多い。そこで、社会に出て役に立つ「協調性」を学んでもらうため、あえてグループワークを取り入れてみたのだ。グループ単位で、いい議論の場を持ってくれるといいいな、いい学びの場になるといいな、と願った。

さらに、先生が言っていること、つまり、先生になった私が言っていることは、既存の知識の発表である。そこから学生が「学ぶ」ためには、私の知識に「挑戦」させなくてはならない。そこで、自分の講義は簡潔にまとめ、議論の余地を残すようにしようと心がけた。できるだけ学生に自由に考えてほしい。議論をするネタを提供するように、毎回の授業を組み立てた。

◎ハーバードで日本史を学んでもらう意義

歴史という科目は、何年に何が起こって、この学者はこの一件についてこう解釈しています、と学生に伝えるだけでは学習にならない。日本史を海外で教える場合は特にそうだ。現代の価値観と、過去の価値観をすり合わせて、そこから出てくる道徳に学ばなければならないと私は思う。

しかも、私のクラスは、日本の歴史の専門家を育てるためのコースではない。100人の学生が、一生の中で、日本の中世の歴史事項を覚えていて、それを披露する場面がやってくるだろうか。そんな機会はほとんど想像できない。選択科目としてハーバードで学ぶ日本史は、今後、社会で役に立つスキルを身につけてもらってこそ価値があると思った。

その意味で、ハーバードで日本史の勉強をさせるというのは、思った以上に難しい。未来ある学生たちの、奔放に学べる自由な時間を無駄にしてはいけない。退屈に過ごしてほしくない。学ぶことを楽しんでほしい。大学という、一種の仮想現実の場を超えて、社会で強く生きていける人材を生み出すための、歴史のクラスをつくりたいと思った。

そこで、最終的には、グループでのプレゼンテーションに加え、クリエイティブに個性を誇れる人づくりのための勉強法として、ラジオ番組や映画づくりを盛り込むことにした。もちろん、歴史のクラスでのグループ・プレゼン、ラジオ番組、映画づくりは、特殊である。しかし、想像していない「意外な場面」で、現代的な学びのスタイルを取り入れることで、ふだんでは考えつかない、いい結果が出るような気がした。日本の歴史というマイナーな科目を勉強することで、自分の日頃の「コンフォート・ゾーン（得意としているエリア）」の枠外でも、自らのクリエイティビティーとオリジナリティーを発揮してほしいと思った。そこであえて、歴史のクラスの課題にコンピューターを取り入れてみたのだ。

また、手段だけではない。私の日本史へのアプローチそのものも、同じように考え直した。歴史を語るには、自分が誰に話しているかを見極めなければならない。日本語で書かれた一般向けのテキストブックを訳して読んでいても通用しない、というか、それではまったく無意味だ。学生に響かない。日本史初体験の学生が考えることから私自身が学びながら、毎回の授業をマニュアルどおりではなく、学生と対話しながら、進めていくように心がけた。

そうやって新しいカリキュラムを練り、教壇に立ち、学生たちを支える責任を果たし、どんな失敗をしても受けとめる優しさを学んでいきたい。どんな失敗があっても、颯爽《さっそう》と支えてあげられる大人になりたいと思った。

私は、学生の期待に応えるよう、精一杯のことをするしかなかった。自由に、能動的に学ぶことのできる、私らしいクラスを提供したい。学生のための先生でいたい。

それに気づいたのが、雪の日の校庭。ハーバード・ヤード。私は、今までの方法論を捨て、学生のための先生になることを誓った。私はもう学生ではない。今日から先生。大人になる！　と人生3回目の独立宣言をした。

◎チームワークが問われるグループ・プレゼン

結局、100人のクラスで取った方法は、前述のとおりディスカッション、グループ・プレゼンテーション、ラジオ番組づくり、映画づくり。それらはひっくるめて、「アクティブ・ラーニング」と、学校のティーチングを研究する機関であるディレック・ボック・センター（正式名称は「The Derek Bok Center for Teaching and Learning」）から、呼ばれるようになった。

アクティブ・ラーニングとは、ただ座っているだけの授業を超えた、革新的な教授法を総称するもので、厳密な定義はない。教授が話し役で、学生は聞く役、といった従来の受動的な座学から抜け出したタイプの授業を指す。実際、私のカリキュラムに対する意見はどうだっただろうか。私が出した課題と学びについて、客観的に考えてみたい。

大多数の学生は、私のクラスのアクティブ・ラーニングでは、「他のクラスと違った課題が組み込まれ、座っているだけではつかめない大事なことを学んでいる」と言っていた。それはどういうことだろうか。まずは、グループでのプレゼンテーションに関するコメントを、いくつかご紹介しようと思う。

グループは、3、4人編成が多いが、5、6人編成の時もある。自分たちでグループをつくり、自分たちで読み物をこなし、自分たちなりのアイディアと構成で、読み物の内容を他のクラスメートに紹介する、というのが課題である。そして、学生18人につき1人いる助手（ティーチング・アシスタント）が、18人の「セミナー」を週に1回受け持ち、そこで、学生たちの発表に立ち会う。

学生は、仲のいいクラスメートと、課題の読み物の内容をどんな手法でプレゼンするのがいいか、真剣に考えてくる。私は、「自由にやっていい。ただし、チームに4人学生がいるのに、その4人が1人ずつ交代でプレゼンをすることはグループ・プレゼンと呼ばない!」と、学生の創造性を刺激しつつ、ソロの発表をリレーする方法だけは禁止した。

そうすると、学生は、何らかの形でチームワークを見せなくてはならない。どのように4人で力を合わせるか、検討会が始まる。パワーポイントのようなスライドや音楽を使いながら、テレビ番組のトークショーのパロディ版をしてみたり、発表した内容を音楽にして聞かせたり、学生は、いろいろなプレゼン方法を考えついていった。

○実社会で必要な学びを学校で体験

このようなグループ・プレゼンテーションに対する学生たちの反応は、「自分たちが中心になって、グループで議論を進めると、のびのびと教材に向かい合える」「先生の顔色をうかがいながら、おそるおそる手を挙げて発言するようなセミナーよりも、お互いが活発に、遠慮なく意見を発表し合えるところもいい」といったものが代表的だった。

さらに、プレゼンの評点も、先生や助手が主観的に判断するのではなく、他のクラスメートからのフィードバックも加味して決まる仕組みにした。そうすると、プレゼンをするほうも、プレゼンを聞くほうも、より真剣になり、お互いの学びに責任が生まれる。「そんなタイプの責任感は、個別に勉強して、テストを受けていては生まれない感覚」であり、「とても新鮮な経験だった」という。

さらに、ある学生は、「Learning happens while having fun!（楽しんでいる間に学んでしまった！）」と、学校のインタビューできっぱり言いきっていた。ストレスを感じるテスト勉強と違って、グループ・プレゼンは、楽しい。楽しんでいる間に、知らないうちに知識が身についているという現象に、感銘を受けたらしい。友人と寮の中で本音を語ること、そしてプレゼンのプランを立てることは、ストレスの少ない、カジュアルでエンドレスな勉強法であり、楽しかったに違いない。勉強しているぞ！ という肩肘張った意識なしに学べるのは、実に爽快なものなのだ。

このように、テストや専門科目とは違う、社会的な環境での学びを学校の中で試していることに気づいてくれた学生はたくさんいた。テストの評点がいい人が、社会に出て必ず成功するとは限らない。逆の場合もたくさんある。学校で、周りの様子を見ながら、その場に応じたプレゼンをすることや、周りの雰囲気を変えるユニークな発言をしてみることは、社会で通用する「生きる力」を学ぶことでもあった。

つまり、学生たちは、今までとは違うタイプの競争の場に身をおいて、社会力を学んだのである。私も、自分の学生時代の経験から、カジュアルにエンドレスに勉強したほうが、孤独に机に向かうより、より心地よく、より効率がいいと、自信を持って言える。リラックスできる環境でこそ、本音で議論ができ、能動的に考えることができると思うからだ。

さらに、友人が一緒にいるという心強さは、自分の能力を2倍にも3倍にも伸ばしてくれる。自分のクラスにそのような学びの場を提供して、学生たちが楽しく勉強し、その成果を新鮮だと素直に受けとめてくれたことは、とても嬉しかった。このようなスタイルの学びを、ぜひ日本の教育の現場でも取り入れてほしいと思う。

◎ラジオ番組づくりで自分を多角的に研究する

グループワークの次には、ラジオ番組作成の課題を用意した。学生たちは、これまで他のクラスで、5ページとか10ページとか、多い時は30ページくらいのエッセイには挑戦したことはあるようだった。しかし、どの学生も3分のラジオ番組のための「ナレーション」を書いたことはない。

エッセイとナレーションでは、知識の使い方がまったく違う。エッセイは、基本的に学んだ内容から議論を練る作業であり、一人で机に向かって行うオーソドックスなタイプの宿題である。そこには、今までの大学教育が「本中心」であったことが象徴的に表れている。

しかし、現代、実際の知識を使う局面はライティング（書き物）だけではない。アカデミックな論述だけでなく、自由なフォーマットで、さまざまな形で情報を発信しなければならない時代がきている。

そこで、ラジオという課題がエッセイの次に登場するわけだ。

学生は、まずふだんどおりに授業に出て、復習をする。そして、ラジオ用に、自分なりのスクリプトをつくってみる。ここで、ライティングと決定的に違うのは、ラジオでは相手に向かって話をするという点である。相手に聞いてもらえる話の構成にしなくてはならない。相手に印象を残す話し方をしなくてはならない。

さらに、このプロジェクトは、クラス全員がつくったものをウェブサイトで公開する。内容・情報は正しくなくてはならないし、おもしろく伝えないとクラスメートとの競争に負けてしまう。「ラジオ」とは簡単な聞こえだが、実際はとても過酷な課題だったと、学生は口をそろえて言う。

ラジオはまた、ひと味違った学びにもつながる。たとえば、バックグラウンドミュージック。ある学生は、「これまで好きな音楽があっても、それは自分の外部のもので、自分と音楽には距離があった」と言う。しかし、「自分のラジオ番組でそれを流すとなると、どうしてその音楽が自分に似合っていて、自分やナレーションにプラスの効果になるのか、じっくり考える必要が出てきた」と語る。

つまり、ラジオという課題では、日本史の内容を正確に伝える作業に加えて、「自分自身を研究する」必要が生じる。私は、自分が大学の時に足りなかった経験は、「自身を多角的に研究する」ことだったと思う。私は、感覚に頼って生きていた。感覚と感情に大きく依存するタイプだった。自分とは何か、あまり考えてこなかった。

先生という立場に立って初めて、冷静に自分を見つめるようになり、自分研究の経験は早ければ早いほどいいと思った。無意識にできればできるほど、すばらしいスキルとなる気がした。そこで、私のアクティブ・ラーニングには、ラジオを組み入れ、歴史を聴覚だけで表現するチャレンジを課したのだった。学生は私の意図どおり、無意識にもちゃんと自分を研究して、ラジオの課題を提出していたようで、まさに作戦成功だった。

ナレーションを書くという作業は、知識を蓄えるのではなく、知識を伝えることを経験させてくれる。学校では、テストのために暗記するという作業が多い。しかし、そんな苦痛になりがちな作業こそ、スタンスを変えて、誰かのために伝える知識として見直してみてほしい。すると、自分のためだけのサイレンス・スタディを超えた、発信する楽しさと責任感で、勉強がぐいぐい進む。苦しい単純作業こそ、楽しく学ぶ方法を開発するのがよいと思う。

◎映画づくりで歴史の重要さを体感する

さらに、ラジオを超えてさらに現代的な、「映画をつくる課題」への意見も聞いてみよう。映画づくりを課題にしたのは、ラジオよりおもしろいという単純な理由からではなかった。その発想は、大学の卒論で虹の方程式をコンピューターに取り入れた時の感動に遡る。学生時代、私は、虹という自然の美しい姿を、できるだけそのままの形でコンピューターに取り入れたかった。そのために数学の勉強をした。実現には時間がかかったが、でき上がったものはこの世界に一つしかないオリジナルなもので、その時の満足感と達成感は、言葉にできないものだった。さらに、データさえ保存しておけば、その感動を何度でも再生できた。

そこで、学んだことをコンピューターに取り入れて、再生可能にしたいというのが、映画づくりを課すことになった理由である。単にエンターテインメント性を追求したわけではなく、知識の活用と保存を意図したものだった。

映画づくりという学びについて、学生は「日本史の教材を現代にどのように映し出すのかは難題だ」と言う。「日本という外国の過去の史料の一体何が、この時代の自分にとって重要なのか」を探るところから始めなければならない。学生は、オリジナルの映画づくりのために、真正面から日本史の史料と向かい合うことになる。

映画は、戻らない時間を「見せる」。エッセイやラジオと違って、現実に存在したであろう場面を想定し、その説明をしてみる。歴史を研究するのではなく、歴史を語る時には、「完結した時間への対応」を迫られる。もう取り戻せない過去を、どのように語るのか。焦点を定め、自己の視覚や意見を交えて描き出すことは、「経験のない学び方」だったらしい。そうやって、広い意味での、歴史の重要さとおもしろみを、映画をつくることを通して学んでくれていた。

映画は、ラップトップ・コンピューターについてくる標準装備のソフトウェアでつくれる。やってみるとかなり簡単にできる。この方法も、日本の高等教育のさまざまな分野に役立つと思う。知識を、学校を超えて、社会に向けて発信する作業を、もっと積極的に取り入れてみてほしいと思う。

◎大学は受け身で知識を学ぶだけの場ではない

このような歴史のアクティブ・ラーニングを通して、「自分の過去の扱い方も考えるようになった」という学生が大勢出てきた。過去とは誰もが振り返り、誰もが語るもの。時間を綴る作業とは、万国共通、老若男女を問わない共通体験である。歴史という大きな流れに、自分の過去を客観的に位置づけ、振り返ることは、とても重要だ。

また私は、歴史を学ぶことは、最終的に道徳を育てることだと思っている。過去をどのようにとらえるのか。過去に失われた命をどうとらえるのか。どう讃《たた》えるのか。それは、現代に直結する思考操作であり、現代を動かす道具にもなる。歴史は、とてもおもしろい分野だ。理系から転科した私も、その魅力に感服した。だから、若い世代にも、歴史を学ぶ意味を、ポジティブに受けとめていってほしい。

本を開いて読む、個人でテストを受ける、そんな勉強と評価のために学校に行く時代はもう終わっている。大学は、学生を、社会に対応したリーダーシップを取れる人間に育てる場所でなくてはならない。そのために、もっとアクティブに勉強する姿勢を取り入れるべきだと思う。魅力的に、能動的に、カジュアルに、エンドレスに学ぶ姿勢を大事にしてほしい。

SUMMARY

私の勉強法11

大学の教育では、読み書きだけでなく、専門知識の応用や活用が重要である。私は、情報にあふれ、テンポの速い現代という時代を勝ち抜くための、社会力と表現力を伸ばすことを、日本史のクラスでも重要視した。また、アクティブ・ラーニングの授業は、通常の講義形式でのクラスとは得られるものが違う。学生は、アクティブ・ラーニングを通じて、先生を眺めて知識を感じ取るのではなく、自分と向き合い、自分の知識を試し、伸ばしていく学び方を身につける。将来、いつでも楽しく、カジュアルにエンドレスに勉強できるように、そう願って授業をした。

ハーバード大学での3年目の春には、レディ・サムライの履修者数が251人までふくれ上がった。1年目も2年目も3年目も、よく学び、よく笑った。とても楽しかった。授業の内容はシンプルでドライでも、従来とは違った課題を出すことで、私も学生も学べる結果となった。毎年、同じ内容を教えていても、新しい発見がたくさんあった。

クラスルームは、活気がないとやっていけない。私は、先生になってから、それまで勉強してきたものを、全人格的に表現する挑戦をしてきたのだと思う。私のクラスを取ってくれた学生たちの熱気に、毎日さまざまなことを学んだ。これまでより貪欲に、年下の学生たちのために、大人として勉強した。忘れられない場所になった。

とびきりオリジナルな歴史のクラス。優秀で活発な学生たち。イギリスに来てからも、ハーバードの夢をよく見る。学生の笑顔や、教室を包み込む笑い声、助手さんたちが学生に教えている姿。どれも微笑ましく、私をいつもご機嫌に目覚めさせる。

教えることは最高の学びであった。学生との交流、クラスルームでの思い出のすべてが、これからの飛躍の糧である。さまざまなことを教えてくれた学生に、とても、とても、感謝している。そして、学生一人ひとりが、これからも勉強に対してポジティブでありますように。ユニークな道を切り開いていきますようにと、心から願う。

☆グループワークで、クラスメートのフィードバックから学ぶ
☆「コンフォート・ゾーン」の外でも、能力を発揮できるよう大胆に
☆「アクティブ・ラーニング」で生きる力を身につける
☆楽しんでいる間に学ぶことを習慣づける
☆学校でも、社会で通用する能力を伸ばす

忘却力でミスを乗り越える

緑のパーカーズ・ピースで高校生がサッカーをしている。
ホッケーをしていた頃の、メンタリティーがよみがえってくる。

7月16日

そのミスは内発性か外因性か

ハーバードでの日々。たしかに200パーセント楽しかったが、何事も一発命中していたわけではない。先生になってからは試行錯誤が多く、成功することもあれば、失敗することも多々あった。プロとして責任が重くなった分だけ、ミスも気になった。1年目も3年目も、思いがけない状況には幾度となく遭遇した。そんな失敗をどのように分析して、どうやって忘れるようにするか。それも一つの勉強だった。ここでは、そのような失敗とのつき合い方について触れておきたい。

失敗といっても、小さな子供や学生の時であれば、寝坊をしたとか、お財布を落としたとか、すべてが自分の責任で、他人に迷惑をかけない単純ミスですむ。これに対し、働き始めると、もっと重大なミスや、自分以外に要因がある理不尽なミスが振りかかってくることが多々ある。ここでは、あまり大きなミスは扱わないが、大学生や仕事を始めたばかりのルーキーによくあるミスを基本に、その乗り越え方を考えてみたい。

まず、失敗した場合、そのミスを「内発性の失敗」と「外因性の失敗」に振り分けてみよう。

「あ、しまった！」と、失言や本意でない行動をしてしまうこと、それは何歳になっても起こる、どうしようもない内発性のミスである。そういう時、人に迷惑をかけていない場合は、とりあえず笑ってしのぎ、人に何らかの影響が出る時は、間髪をいれずに詫《わ》びを入れる。自分がミスしたことにショックを受けて、ただ放っておいたり、迷惑をかけた先方を怒らせたままでは、どうしようもない。内発性の失敗は、気づいたらすぐ謝るのが基本である。ここまではみなさんもご承知のとおり、自明のことだろう。

その上で、内発性と外因性、それぞれの失敗の根源をつきとめる作業をしてみるのが大事なのだ。

内発性の失敗というのは、実は多くの場合、次の状況で起こっていることが多い。

（1）自信のなさによって当然のように起こる
（2）準備不足による付け焼き刃や、がむしゃらな行動が引き起こす
（3）背伸びや無理がたたる
（4）いやいやながら引き受けてしまった仕事をしている

そして、これらは、ほとんどの場合、未然に防ぐことができる。

反対に外因性の失敗は、自分以外のことに起因して起こるミスである。その原因は、次のような場合が多い。

（1）天敵が現れた
（2）誰かが異様な空気をつくり出し、それが自分にも波及した
（3）人情が理屈を超えてのさばっている場面に出くわした
（4）お金がからむような、誰もどうしようもない状況

このような場面に立ち会ってしまったら、反省に時間を費やすより、アンラッキーだった、とボヤくぐらいでいいじゃないかと思う。あまり考え込まずに、さっさと態勢を立て直す。

結局、どちらのタイプのミスも、いったん起こってしまった後に、むやみやたらに「猛反省」していても無駄だと思うのだ。なぜならば、反省すると、失敗したシチュエーションを覚え込みすぎて、次に同じ場面に遭遇すると足がすくんでしまう。ましてや、友人に言いふらして回っても、双方にとって時間の無駄となる。失敗に関連した人間を責めたりしていると、さらに余計な問題を誘発する。

反省はそこそこに。あとは簡単なリアリティ・チェックをしてみるのが、失敗から学ぶいい手段だと思う。

◎反省より、次につながるリアリティ・チェックを

リアリティ・チェックという言葉の使い方は、場面によっていろいろだが、ここでは少し派生的に用いて、「自分が失敗に追い込まれた状況を客観的に分析して原因を割り出し、

冷静に現状を見極める作業」のことにする。これが反省と違うのは、自分という人間の良し悪しが関係しにくいことである。

反省では、自分のどこが悪かったんだろうと、どうしても自分に非があり、それを正さなくてはいけないと考えがちだ。だが、それでは気持ちが滅入るだけで、次の行動になかなかつながらない。反対に、リアリティ・チェックでは、自分がどんな状況だったから、ありえないようなミスをしてしまったのか、その要因をリストアップする作業から始めて、現実を直視するようにする。つまり、現実を自分という媒介なしに客観視することが要求される。ごくごく日常的な例を見てみよう。

【例1】ある学生Aの内発性のミス：宿題が終わらなかった

宿題が終わらなかったのは「自分に能力がないせいだ」と責めるように反省しないで、リアリティ・チェックをして、ポジティブな行動に改める。

宿題があることは知っていた　ＯＫ

授業の復習は間に合った　ＯＫ

宿題の8割は解いていった　OK
宿題に取りかかるのが遅かった　↓　次の宿題提出の前の土日に、多めに時間を取る
宿題の問5がどうしても解けなかった　↓　先生にメールで質問する
先生の説明が分からなかった　↓　助手さんや友人、クラスメートに聞いてみる
＊宿題が終わらなかったことは世界に影響するのか　↓　まったく影響しないので、忘れる

【例2】あるルーキーBの外因性のミス：会議の後の食事会でのスピーチがうまくできなかった
内発性の問題ではないことが失敗につながることもあるので、その問題の根源を見つけることが大事

●内発性のミス
スピーチをするのが基本的に好きだ　OK

準備をした　ＯＫ

少ししか飲んでいなかった　ＯＫ　↓　だが、次回はもっと気をつける

２日かけて書き下ろした、とっておきのスピーチだった　ＯＫ

●外因性のミス

大学の時に単位を落とした先生が、数年ぶりに目の前の席に座っていた！

（いわゆる天敵が現れ、トラウマがくすぶった）

＊自分のスピーチの良し悪しは世界に影響するのか　↓　まったく影響しないので、忘れる

とにかく、失敗の状況を踏まえた客観的なリアリティ・チェックによって、次に失敗しないような状況をつくり出すのが重要だ。

失敗したー！　と思っても、結局、たいしたことではないケースは多い。まずいのは自分にとってだけであり、周りはこれっぽっちも気にしていない。信頼を取り戻すために、

いい打開策を見つけ、2倍の速度で回転したほうがいい。その場にとどまってあくせく言い訳を考えるのは、自分にとっても、周りにとっても大損である。

自分を世界の中心におかない、簡単なリアリティ・チェックで切り抜けられることは、案外多い。反省という「良い子の模範行動」に頼って失敗にはまり込むのではなく、状況を客観視する考え方をうまく利用し、失敗とそのショックをポジティブに乗り越えると、絶対に次の機会の成功につなげられると思う。

◎前に進むための忘却力を身につける

そうは言っても、大きな失敗をした場合、その根源が分かったところで、挫折感と罪悪感はどうしても拭いがたいという意見も分かる。では、その場合どうしたらいいのか。それをどう乗り越えるか。それにも方策がなくはない。

大きなミスも小さなミスも、対処の基本は変わらない。どちらの場合も「前に進むための忘却力」を身につけることで乗りきる。失敗の大まかな原因と改善点が分かったら、次に学ぶべきは「忘れ方」なのである。引きずっていていいことはない。そこで「積極的に忘れる努力をする」ことが必要になるのである。

猛反省に明け暮れるのではなく、すくっと立ち直って、次の場面で失敗しないようにする。そうすることで失敗に巻き込んだ人たちに誠意を尽くし、きっぱり姿勢を正して颯爽と発進する。

何事も、やればやるほど失敗はつきものだ。そしてどんなシチュエーションであっても、そこからは絶対に立ち上がらなくてはならない。失敗の後の「忘却」ほど重宝なものはないと、いつも思う。自分のためにも、周りのためにも、忘れることは重要だ。

失敗は「恥」ではない。そこから奮起して新しいチャンスをつかむためにある。「1回試してダメだった」という結果を気にするのではなく、「このチャレンジはもっといい結果を出すためのプロセスにすぎなかった」と、大きく構えるほかないのである。

私をポジティブすぎると思う人もいるかもしれないが、このような失敗に対する考え方、学び方は、アイスホッケーの試合を通じて学んだ。私がもともとポジティブな人間だったからというわけではない。体をはって失敗を山ほど重ねた経験が、私をポジティブにさせている。ホッケーでどう失敗し、そこから何を学んだのかをお話ししたい。

◯10回に1回しか入らなくてもシュートは打つ

ホッケーを始めた時から、私はフォワードのポジションのプレーヤーである。もともと、積極的に切り込んでいく気合いがある人間なのはたしかだが、直接の理由は、単に後ろに滑りながらディフェンスをこなすという高度な技術が身につかなかったからである。とにかく、攻めと失敗をおそれず、しかも失敗してもさっさと忘れるという姿勢はホッケーで学んだ。

まず、攻めに関して。シュートを打つチャンスは自分でつくるしかない。自ら走っていって、ゴールに近づいてこそ、チャンスが生まれる。リンクの端で高くジャンプしても、リンクの真ん中からキセキを願って長距離シュートを打っても、点数につながる確率は非常に低い。まずは、ゴールにできるだけいい形で近づく方法を考える。

しかし、ゴールに近づいたら近づいたで、相手のディフェンス陣に囲まれることになる。そこでぐずぐずと待っていては、ますます多くの相手ディフェンスに囲まれて手だてがなくなる。一か八かでも、どこかのタイミングでシュートしないことにはゴールをものにできない。打てるかな？　と自信なげにくすぶっていては、せっかくのタイミングを逃してしまう。もうここだ！　と、タイミングを見計らって、いいさじ加減で「賭け」をすることが、とても大事なのだ。

そして、私は、プロ並みのテクニックを持ち合わせていない。せっかく打ったシュートでも、10回に1回も入ったためしがない。20回目で1回ゴールした場合、19回は失敗を重ねている。しかし、その失敗の原因には、自分のミスも、他人の影響も、周りの力関係も、タイムリミットもいろいろあって、一概に自分を責めていても始まらない。

どんな状況であれ、リンクに立っている限り、19回目の失敗であきらめるわけにはいかないのだ。そこで、失敗をさっと乗り越え、忘れることが、一つのゴールを引き寄せる。

勉強でも仕事でも、ほとんどすべての失敗は、ヘコむべきところではない。悩むべきものでもなんでもない。失敗は単なる「プロセス」である。失敗してもゴールには走っていかなくてはならない。その覚悟は、誰かが告げにきてくれるものではなく、自分自身が決めるもの。「失敗を分かち合う」という言葉がないのは、そのためだろう。失敗は、自分自身の責任で、ポジティブに忘れ去らなくてはいけない。

もっとも、どれだけポジティブな心構えでも、がむしゃらにゴールを狙っては無理がくるし、ワンマン・プレーは繰り返しがきかない。パスをする仲間がそばに集まってくる状況に自分がいてこそ、コンスタントにチャンスをつくれる。だから、失敗は最終的には自分で乗り越え、周りの味方とのアイコンタクトは続けて、次のチャンスを引き寄せる。それは、いろいろな場面に応用がきくはずだ。

SUMMARY

私の勉強法12

何をするにも失敗はつきもの。そこから早く立ち直ることができるかどうかは、分析の仕方次第である。また、忘れ方と打開策次第では、失敗は将来へつながるポジティブな意気込みにもつながる。人生は一度でも、チャンスは一度ならず、たくさんめぐってくる。乗り越えられない失敗はない。いち早く立ち直らなければもったいない。

特に、猛反省して挫折感に浸る時間は、早く切り上げたい。そのためには、反省で情緒的に、感覚的に立ち直るのを待つよりも、リアリティ・チェックである。自分の人間性と切り離して問題の根源を突き詰め、状況を直視する。そして次に同じような状況に出くわしたら、強い態度で臨みたい。

ここ、イギリス・ケンブリッジ。晴れの日の公園、パーカーズ・ピースでは、私の目の前で、高校生がサッカーをしている。ゴールに近づいても、シュートはなかなか決まらない。何度も何度も挑戦して、チームプレーの末にやっとゴール。30分で貴重な1点の獲得である。

サッカーをしている高校生たちは失敗など気にしていない。そうやって、何度も挑戦していく姿勢が、失敗した時の立ち直り方として、しっかり身についていくはずだ。この芝生の上で大きな度量が育っている。それを今、ベンチから見守り、楽しかったハーバードのクラスルームを思い出している。

☆ミスには内発性と外因性の二つの種類がある
☆猛反省より、次につながるリアリティ・チェックを
☆前に進むための忘却力を身につける
☆失敗は早く仕切り直し、次のチャンスに向かって態勢を立て直す
☆周りのサポートに感謝する

第5部

勉強は「約束」を果たすために

～英国・ケンブリッジ・飛躍編～

軌道修正は楽しみながら忍耐強く

思いがけない問題発生！
だけど、パニックになるより、まずは打開策をいくつか試そう。

7月18日

私はそれを挫折や苦労と思わなかった

九州からカナダ。カナダからアメリカ。学生から先生へ。これまで学校の中で勉強をしてきた経験から、役に立ってきた勉強法や勉強から学んだモットーのようなものを書き綴ってきた。時系列に沿った形で、これまでの経歴を整理すると、次のようなチャートができ上がる。目標線と努力量のパーソナル・ヒストリーである。

目標と努力のパーソナル・ヒストリー

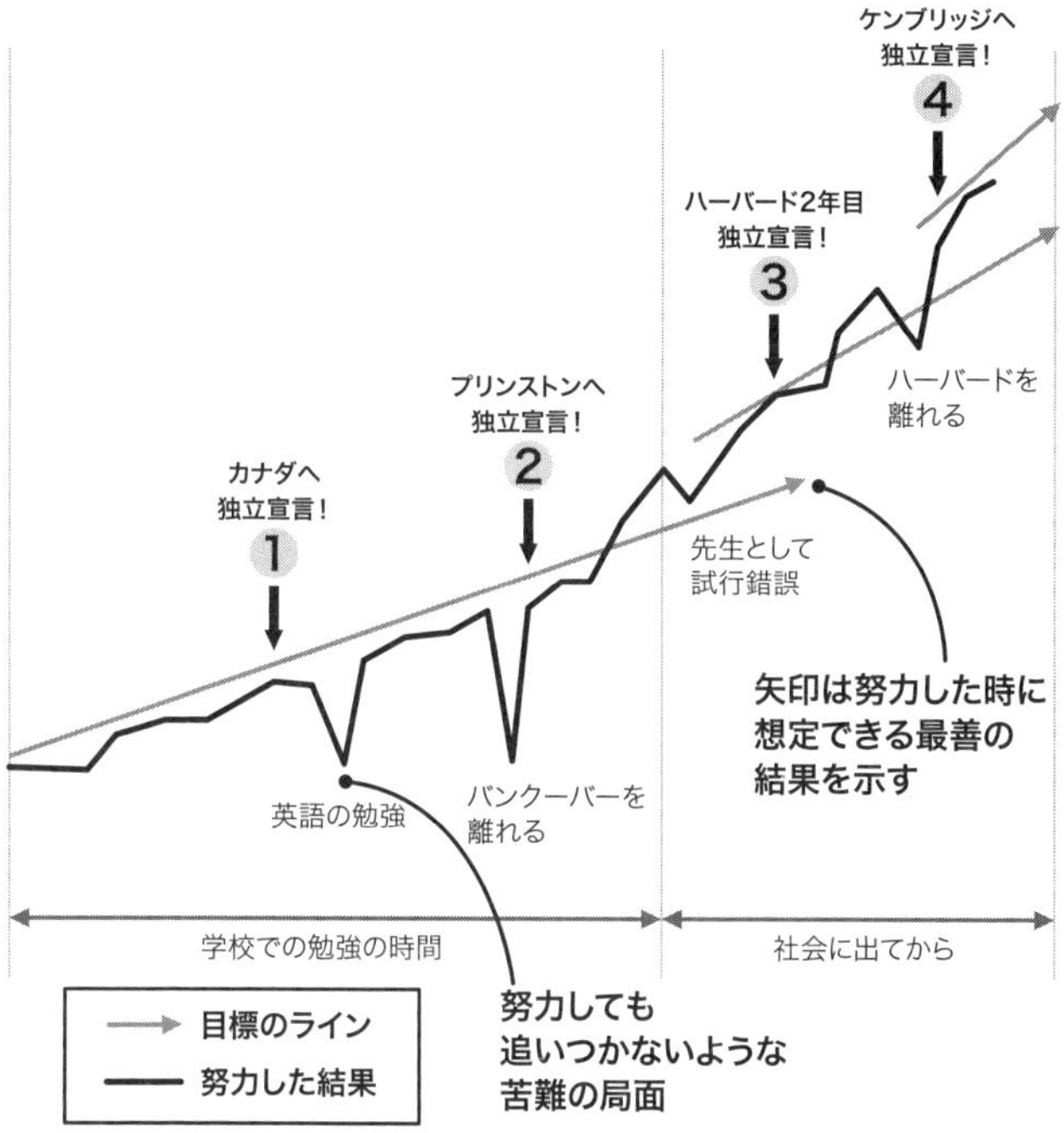

ケンブリッジへ
独立宣言!
4
ハーバード2年目
独立宣言!
3
プリンストンへ
独立宣言!
2
カナダへ
独立宣言!
1
ハーバードを
離れる
先生として
試行錯誤
矢印は努力した時に
想定できる最善の
結果を示す
英語の勉強
バンクーバーを
離れる
学校での勉強の時間
社会に出てから
目標のライン
努力した結果
努力しても
追いつかないような
苦難の局面

左端から学生時代が始まり、カナダへ旅立ち、プリンストン、ハーバード、そして現在いるイギリスのケンブリッジへ。1から4まで、番号がついている点が、私が独立宣言をしてきた場面である。

矢印のついた太線は、場面場面での100パーセントレベルを表している。矢印の向きは、その100パーセントをなしえた時に見えてくる方向である。学校での勉強を進めていった場合の方向性を示しているのが、最初の矢印。先生としての理想を追求していった場合の方向性を示しているのが、2本目の矢印。さらに、研究者としての目標を表しているのが、3本目の矢印である。毎回、成長するにしたがって、できることの範囲が広がるので、それを反映して、ベクトルの向きはどんどん上向きになってきている。

その下を沿うように走るジグザグ線は、私の努力した結果だ。ヘコんでいるのは、努力が目標に追いついていない「ヘコみ場」である。そこで勉強しなかったら、あるいはもし周りの友人のサポートやプッシュがなかったら、精神的に大きく落ち込んでしまう可能性があった。線がヘコんでいるところは、致命的な挫折経験になる可能性があった、いわば急所なわけだ。

たとえば、最初のヘコみは、海外へ出ていったが英語ができなかった時。2回目のヘコみは、大学院入試の準備の時。さらに3回目は就職後の忙しさ、4回目は移籍の機会。そのたびごとに、いろんな挫折シナリオがありえた。

しかし、私は、それらを挫折や苦労と思わなかった。

ああ挫折した、ああ苦労が多い、とつぶやいて、留学先で自滅している例をたくさん見た。私は、その度に、挫折や苦労という類いの話は、自分の将来にとっても、周りにとっても、ネガティブでよくないと思ってきた。

留学や仕事などで海外に出れば、日本とは異なる特殊な環境で生きていくことになる。挫折や苦労があるのは、ある意味当然だ。それらに敢然と立ち向かう気合いがあればいいのだが、実はそんなもの、ほとんどの人は持ち合わせていない。だから、自分の目の前にある問題を、どれほど小さいものだと思えるか。悩みを小さくする考え方を身につけることが重要になる。

たとえば、ある問題Aが発生した場合。その問題で、大きくショックを受けたとしても、ショックの大きさを考えるべきではない。そうではなく、そのショックを世界の他の問題と比べて、自分の目の前にある問題を、できるだけ小さなものにすることが大事なのだと思う。私の悩みなんて、世界に影響を与えるほどのことでもない。忘れよう。さっさと乗りきろう。悩みの忘却と問題の縮小化は、自分が自分にしてあげられる最高のことだと思う。

◎自分のカレンダーに沿って生きる

パーソナル・ヒストリーを振り返ると、私は、ヘコみ場に限って頑張らなかった。壁に当たって砕けそうな場面で、神経を張りつめて頑張ってしまっていたら、きっとつぶれていた。できないことは、きっぱりあきらめ、あきらめる方法を見つけながら、うまく迂回《うかい》路《ろ》を歩いてきた。そうして、壁をうまく越えられそうなレベルに届いたら、不定期に、しかし自発的に、必要な時にインディペンデンス・デイを宣言して、軌道を上向きに修正してきたのだ。

どんな時も「これで一巻の終わり」のような状況はまずありえない。どんな失敗も挫折にしてはいけない。苦しい場面は、乗り越えようという心の持ちようでなんとでもなる。絶対に乗りきれる。英語に切り替えて生活してきたからだろうか。もしかすると「挫折」

軌道修正はいつも上向き!

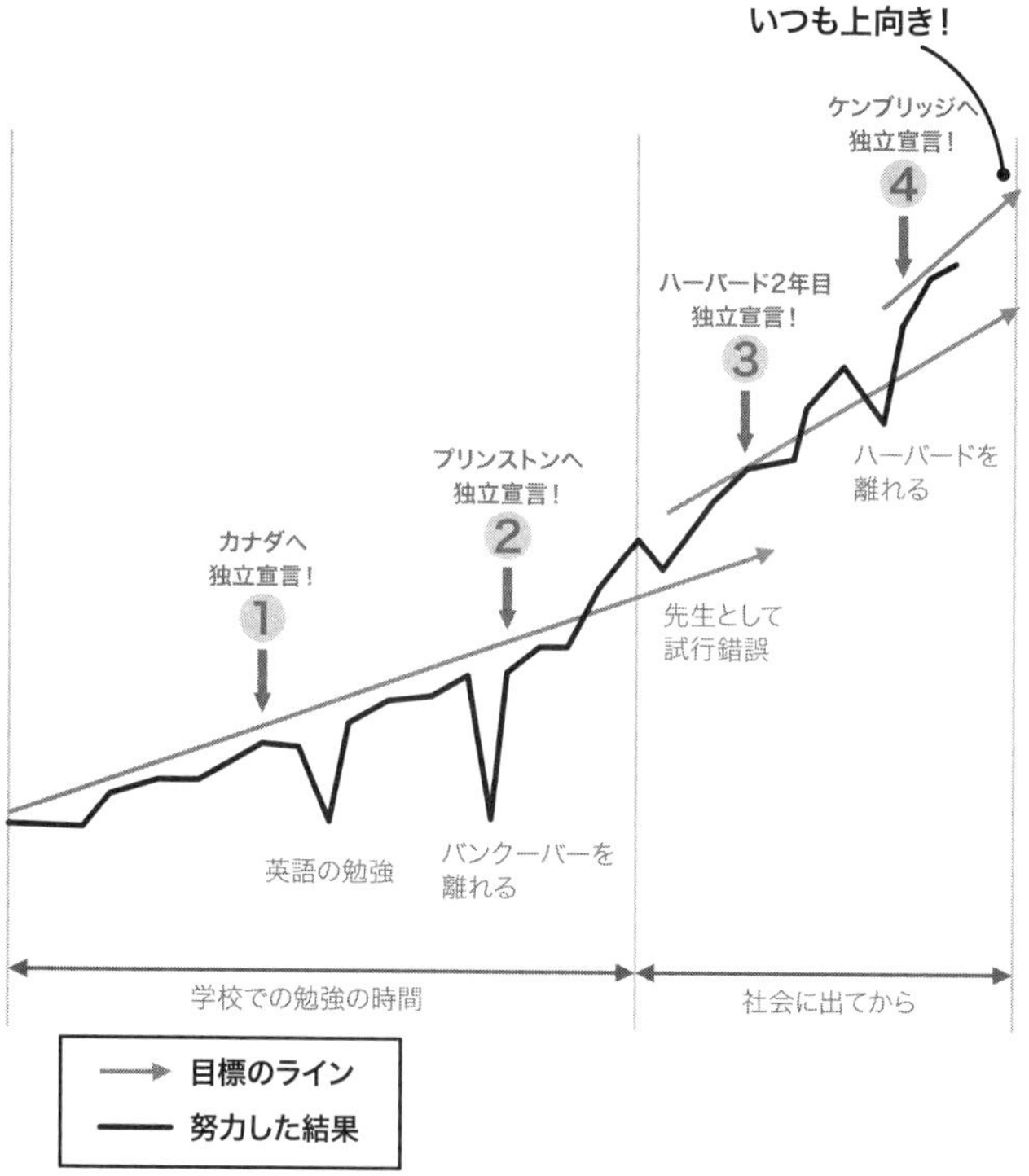
いつも上向き!
ケンブリッジへ
独立宣言!
4
ハーバード2年目
独立宣言!
3
ハーバードを
離れる
プリンストンへ
独立宣言!
2
カナダへ
独立宣言!
1
先生として
試行錯誤
英語の勉強
バンクーバーを
離れる
学校での勉強の時間
社会に出てから
目標のライン
努力した結果

という日本語を十数年使ったことさえないかもしれない。これまでの勉強を力にして、さらにこれからも勉強していく意欲さえあれば、なんでもできる。幾万回の失敗にも衝撃を感じず、それは成功へ向けてのプロセスだととらえる。そんなシンプルでポジティブな心構えがあれば、何事もなんとでもなる。

私は、こんな気構えで、自分のカレンダーに沿って生きている。自分で目標を決め、自分でデッドラインを設定し、ペースを保ちながら、自分のサイクルで仕事をしている。自分と自分のつくったスケジュールと二人三脚で生きている。それが、私にはぴったりで、それが私の学び方であり、生き方だからだ。

◎世界基準で社会に働きかける人でありたい

これまで、自分が好きなことを好きなだけ勉強して過ごしてきた。しかし、これからは、もっと社会に出て、もっと周りにポジティブに働きかけができる人でありたいと思う。それは、生まれて初めて思い描いた自分の将来の理想像、生き甲斐の発見だった。これまで学校で勉強し、大学で教えてきた結果、どんな方向性にたどり着いたか。最後にその話をしておきたい。

元をたどれば、大学の親友アンバーとジェニーに出会った頃。私たち3人は、わけもなく「国際感覚」の魅力に浸っていた。専攻が違っても、本質的に引きつけられていたのは、バンクーバーという世界各地からの移民が集まる土地柄から見えてくる、世界のつながりとその不思議だった。そんな志向が、3人を意気投合させ、アンバーとジェニーは、それぞれに、国をまたぐ仕事につく結果となった。

私の場合は、博士号を取るための研究活動に時間がかかり、彼女たちよりも、遅く社会に出た。しかし、学生時代には国際関係のインターンを幾つか経験した。ハーバードで教えていた時も、国際理解と国際交流の懸け橋になればいいなと、いつも「世界」という視点と柔軟な対応、そして将来へのビジョンを忘れなかった。

これからは、もっともっと大学や学界の枠を超える活動をしようと思っている。これまでの経験を糧に、世界基準で、社会全体に広く役立つことをしていきたい。微力でもなんでも、とにかく自分が勉強したことを最大限に発揮できるように、これからの軌道を調節していこうと思っている。

◎「オール・イン」はリスクが高すぎる

しかし、そのためにはやはり準備の時間がいる。ハーバードからの移籍を機に、さらなるチャレンジへ向かって軌道修正をするには、やり残した仕事の片付けが重要である。始めたことは、ちゃんと終わらせておかないと、次に進んだ時に、足を引っ張られる。そこで、私は自分が始めたプロジェクトを終わらせる時間を、次のプロジェクトの準備期間にあてることにした。次の大きなプロジェクトを見据え、その助走期間に、これまで書いてきたものの仕上げに没頭する。研究者としてイギリスに1年ほど滞在することに決めたのは、そのためだ。

さっさと次のことに移ればいいじゃないか、と思われるかもしれない。しかし、そんなふうに、すべてを打ち捨てる、またはすべてを変えるのは、これまでの私の勉強への姿勢からはありえない。

人生には、いろんな転機がある。思ったように事が進むチャンスも転機だし、失敗によって引き起こされる変化もあり、誰のせいでもないミステリアスな展開が起こったりもする。先生としての仕事の試行錯誤から学んだのは、苦しい時こそ「解決策を模索して一気に突進しない」ことだった。新しいことにチャレンジする場面で、大事なのは、バランス感覚だった。

初めての試みに、これまでのすべてをなげうったりしない。後戻りできない状況をつくり出すよりも、新しい方向性を少しだけ試してみる。そして、「これはどうだろうか？」と試行錯誤するプロセスを楽しんでみる。そのほうが得策だと思う。トランプのポーカーには、苦し紛れに持ち金を全部賭けてみる「オール・イン（All-in）」という手法があるが、私はその一手を避ける。リスクが高すぎるからだ。

人生において、正解は一つではないし、歩くべき道も1本しかないわけではない。また、わざと違う道に入ってみたくなる時もある。軌道修正の時は、つい、ええい！　当たって砕けろとか、無理やり頑張る、という姿勢を取りたくなる。しかし、そういう、自分を追い込んだ投げやりな姿勢そのものが、その後のうまくいかない原因となることもある。だから、「オール・イン」は避け、冷静な分析と決断ができるまで、ちょっとだけ試してみる時間を楽しみたいと思うのだ。

実際、私が海外に留学をするのにも、大学や大学院で勉強するのにも、相当の時間がかかった。取りかかったプロジェクトは、すぐに達成できる容易なものではなかった。どのステップでも、ピンチはあった。そんな時、私は勇敢に立ち回ってなんとか事を成し遂げたわけではない。オール・インの賭けに出て、いきなりラッキーなことが起こったわけでもない。静かに、こつこつ、一つひとつできることを積み重ねて、結果をつくっていった。自分の忍耐力との勝負でもあった。

大きなプロジェクトを成し遂げたい時は、熱意の火を絶やさず、辛抱強くやるしかない。誰にも真似のできない偉業は、その辺に落ちているわけではない。自分で材料を持ち寄り、結果を積み上げ、タイミングを見計らう。そんな覚悟と忍耐力が絶対に必要だと思う。

SUMMARY

私の勉強法13

努力していても、うまくいっている時でも、軌道修正は必ず必要になる。そんな時、自分が悪かったと猛反省しても、他人に甘えても、前には進めない。自分をかわいそうに思い、深く悩んでいても始まらない。あくまでも冷静に、自分が納得できる、自分らしい打開策を考えていきたい。また、そんな時こそ、これまで学んだことを振り返り、新しく道を切り開く試行錯誤に徹したい。仲のいい友だちとも積極的に語り合い、苦しい時こそ、よい時間を過ごして、インスピレーションを取り込みたい。

どんなに苦しい局面も、必ず乗り越えていける。

それならば、乗り越えるまでの低迷期間をも楽しもう。

最後に、このような軌道修正の際、その方向性を決める大事な道しるべがもう一つある。

それは、自分の心構えや人生のとらえ方ではなく、他人との「約束」である。大事な人との約束は、困った時の打開策を練る鍵になる。そう思うようになったことこそ、実は私のこれまでの学びの総決算である。約束の大切さに気がついたことは、私の学びの最大の収穫物だった。最後のまとめの章で、その究極に重要なこと、約束について、お話ししようと思う。

☆目標と努力のパーソナル・ヒストリーを描いてみる
☆失敗はプロセス、挫折にしてはいけない
☆軌道修正はポジティブにとらえて自分らしく打開する
☆いつも「世界」という視点を忘れない
☆退路を断つような全賭け（オール・イン）はしない

約束は人間の「存在理由」

ケンブリッジの街のあちこちにあるロイヤル・ポスト。いつもはポストカードを投函《とうかん》するが、今日は郵便局で、記念切手を買う。郵便局から、手紙を送る。

7月22日

恩師との約束、学生たちとの約束

ハーバード3年目の春。私はレディ・サムライの他にも、約束の歴史というセミナーのクラスを教えていた。そこには、36人の学生たち。とても仲のいい36人がいた。

このクラスは、歴史史料の中でも、「手紙」と分類される文献に残された約束をたどっていくセミナーだった。16世紀や17世紀、手紙が重要なコミュニケーション・ツールであった時期、手紙は人々の間で広まり、社会的な役割を果たすようになった。そんな時代に、手紙として残された「約束」は、思いがけない歴史を語ってくれる。

約束の歴史を履修していた学生たちは、手紙という史料のおもしろさを次々と発見し、すばらしい雰囲気と、まとまりのあるクラスをつくってくれた。全員が仲良しで、学生一人ひとりが、先生の私とも親しい存在だった。小規模なセミナーのクラスならではの親近感に包まれていた。

最後の授業の時間、学生は一人も遅刻せず集まり、みんなで輪になって座り、1学期を振り返った。そこにはいつもの和んだ表情はない。微妙に緊張した雰囲気が漂っていた。彼らは、このセミナーが、私にとってハーバードでの最後の授業になると知っていたからだろうか。卒業のさみしさを、みんながシェアしているようだった。

そんな重い空気は、先生の私が取り払うしかない。私は、「このクラスでは、みんなでピクニックに行った時のことが一番印象に残っています」と最後のスピーチを始めた。

＊＊＊

先週の晴れた日。チャールズ川のほとりで、みんなで読み物の復習をした後、日陰に座って、休憩がてら手紙を書きましたね。

「5年後の自分へ」

21歳や22歳。卒業や就職を目前にしたあなたたちは、感慨深げにその作業に取りかかっていたように見えました。学校から社会に出ていく。そこには、興奮の中にも不安が混ざるものでしょう。さっきまで笑っていた36人が、しんと静まり返って手紙を書く姿はとても素敵で、私も一緒に手紙を書こうと思いました。

「5年後の私へ。

元気にしていますか。家族は元気ですか。レディ・サムライを書き上げる。そのプロジェクトは、どうでしたか？　どんな本になりましたか？　そして、今、どんな先生になっていますか……」

そこまで淡々と書いて、ふと自分の恩師のことを思い出したのです。

私は今では歴史の先生ですが、大学時代は数学専攻の学生でした。大学院で日本史を始めてからは、プリンストンでもハーバードでも、数学が勉強の中心になることはなかったのですが、いつも数学からは離れられず、博士課程の試験分野で「東アジアの数学史」という形で、自分のそばに残し、ここハーバード大学でも、数学史のコースを教えました。数学は、いつもなぜか自分の一部なのです。

それは、2011年の1月のことでした。私は、ニューオーリンズで開かれた全米数学学会のスペシャル・セッションの講演者としてお招きを受け、数学史の論文を発表することになりました。江戸時代初期に京都で出版された数学の本の話をすることになったのです。

その日、発表は午後からだったので、朝は、東アジアの数学の歴史を研究する同僚と、会場のロビーでゆっくり過ごしました。ニューオーリンズは、冬でも暖かく、おしゃべりをしながらコーヒーを飲み、その日が学会とは思えないほど、みんなリラックスしていました。

そうやってご機嫌な同僚と発表の部屋に歩いていくと、会場はとても広いホールで、100人を超える数学者たちがすでにそこに集まっていました。さらに、発表2分前になると、その倍の、200人を超える聴衆が着席していました。

私は、全米東アジア学会での平均的な日本史の発表の聴衆よりはるかに多いな、と驚きましたが、もう引き返せないと、コンピューターに用意してきたスライドを映し出しました。すると、200人は軽く超える大勢の聴衆をかき分け、最前列の空席をめがけて、歩いてくるおじいさん数学者がいます。

私は、彼を見て、震えました。

「カッセルマン先生！」

なんと、彼は、私の大学の時の卒論「虹の方程式」の面倒を見てくださった指導教官だったのです。代数幾何学の先生で、もう定年退官されて数年経つ、ブリティッシュ・コロンビア大学名誉教授です。バンクーバー在住の彼が、ルイジアナ州のニューオーリンズまで、私に秘密で講演を聞きにきてくださったのです。

私は、もちろん演壇から降り、カッセルマン先生にかけ寄って握手をしました。彼も私も突然の再会にこみ上げるものがありましたが、もう講演の時間です。引き離されるように演壇に戻り、私は、淡々と発表に移りました。

おもしろいものです。緊張して発表できなくなるかと思ったら、その反対でした。「失敗できない場面である、でも、楽しみなさい！」と脳が指令を送ったのでしょうか。とにかく、いい緊張感に包まれて発表を終えました。

そして、発表の最後に私は付け加えて、言いました。

「この講演は、ここに座っている私の大学時代の指導教官、カッセルマン先生に感謝の気持ちを述べて終わりにします」と。

すると、10年を超えるであろう師弟愛を目の当たりにして、会場がとても温かい雰囲気になったのです。教育に携わる誰もが、私とカッセルマン先生をつなぐ愛情に、心がほころんだ様子でした。私も緊張がほどけ、そこで初めて、涙があふれました。感謝の気持ちと懐かしい気持ち、その他、何もかもが混ざったような大きな感動でした。

もう10年も前の話です。カッセルマン先生は、虹にとりつかれた日本人の女の子をリサと呼んでいました。智子という日本語の名前より呼びやすい、なじみのある英語の名前をつけてくれたのです。そして、数学のテストでの私の「間違え方」を「いいアイディアだ！」と褒め、私のオリジナリティーを発掘し、虹の卒論書きを支えてくれました。

カッセルマン先生とは、プリンストン時代に一度だけ再会の機会がありました。彼は、プリンストンの高等研究所にいる数学者の同僚を訪ねてきて、当時大学院生として、高等研究所の手伝いをしていた私は、彼と廊下でばったり会ったのです。その時も、私が数学を続けていることをとても喜んでくださり、数学史に関する論文を書くように応援してくれました。

ですから、カッセルマン先生が、私の前に突然現れたのは、2回目のことでした。先生は、私がふんわりとどこかへ飛んで行きそうになると、なぜか不意に現れ、私にとって、今、何がどう重要なのか、考える機会を与えてくれます。

今回のニューオーリンズで、私は、プリンストンで最後に会った日から、ハーバードで教える現在のことまで、いろいろと報告しました。自分の今までを先生に話しているうちに、私は、自分にとって何が重要か、だんだん見えてきた気がしました。そして、「レディ・サムライを本にしたら、その次は必ず数学史の論文を仕上げよう」と、心に決めました。数学史のプロジェクトをやり遂げると、カッセルマン先生に約束したのです。

＊＊＊

このように、カッセルマン先生と私の一連の話をセミナーの学生たちと共有した。そして、先生として、「約束の歴史」のクラスを、こう締めくくった。

「私は、いつまでも、あなたたちみんな、一人ひとりのための先生であることを約束します」

私は、この学生たちの期間限定の先生ではない。クラスは終わっても、学びに終わりはない。これからも期待しているよ。いつまでも、気にしているよ。見守っているよと、精一杯伝えた。カッセルマン先生のように、いつもどこかで、支えになれるような先生でいたいと思った。

私のその思いは、学生に届いて大きな拍手と温かい涙に変わった。36人は大きなグループ・ハグ（円陣をつくって抱き合う様子）をつくって、感動を分かち合った。その円は、先生と学生の一つの大きな約束（つながり）を囲むものだった。そして、私のハーバード大学での先生生活は幕切れとなった。

◎どんな約束にコミットして生きるのか

約束はいろいろな形を取る。友人との待ち合わせも約束だ。結婚も、ビジネスも、約束に基づいて何事も進む。どんな約束をして、どのようにそれを遂行していくのか。それは時に表に出ないところで息づき、時に明確に現れる、人生の大事なことだと思う。

約束は、人の「raison d'être（存在理由）」だと、いつも思っている。だから、私は、いつも約束にとても慎重になる。どんな約束にコミットしていくのか。その約束が重要であればあるほど、自分の時間の使い方が制限される。いつの日からか、どんなことを「やる」と決めるのかが、私にとって、最重要事項になった。

私は、約束に沿って意思決定をしている。レディ・サムライと数学の歴史、これだけは学生と恩師のために、今、書かなくてはいけない。広く世界に響くアイディアを、英語で書いていきたい。そう思ってイギリスへ飛び立った。

次のプロジェクトに向かう前に、仕上げなくてはならない仕事がある。果たさなくてはならない約束がある。そんなふうに約束に沿った生き方をするために、私は勉強してきたのだから。

私は、いつまでもこうやって、自分と自分の大切な誰かの約束で、次のステップを決める。その約束だけが書いてある、自分用のカレンダーで生きていく。これからも、約束を果たすために、一生勉強していくだろうと思う。損得やお金のためではない。大事な人への恩返しに、学生の未来のために、知識を生み出していきたい。大学の枠を超えて知識を発信できる、勉強家でいたい。そうやって、学んでいきたい。

SUMMARY

私の勉強法14

勉強とは、つまるところ、経験の意味を深め、約束を果たすために大事なツール。そして全人格を形づくるもの。一生続くマラソンだ。

そして、勉強の成果とは、自分が社会に伝えたいメッセージなのだと思う。学ぶ人はみな、どんな分野でも、現状からよりよい未来へ、有用に使える知識の生産を行っているのだと思う。

海外に出て、勉強を続けるのは辛くなかった。他人と競わずに、自分の勉強法で、自分の興味があることを、自分のキャパシティいっぱいまで、ＭＡＸでやってみる。その繰り返しだったからだ。

海外で勉強しようとすると、そのコストに応じた目標はなんだと聞かれることが多いかもしれない。しかし私には、そんなはっきりした目標はなかった。ただ、新鮮で素敵な環境に飛び込み、身を委ねた。そして、ただひたすら目の前にあることを、自分の力の限界までやってきた。

ペーパーテストで100点を取り続けるのは難しい。だが、納得するまでやれば、その納得のラインが自分にとっての100点になる。自分の満足点にできるだけ近づくよう力を尽くせば、どんな時も後悔だけはしない。目に見える結果が80点であっても構わない。自分の力を出しきって、一つひとつの段階をクリアしていけば、自分が次にすべきことははっきり見えてくる。ギリギリまであきらめずに、全力でやってみる。それだけが大事だ。

私は、長期的な目標や、理想のキャリアプランにしがみつくこともしなかった。自分に何が向いていて、自分がどんなふうに周りに貢献できるのかは、勉強しながら見つけてきた。誰か一人の目標とする人がいたわけではないし、何か資格を取るために勉強してきたのでもない。

日本の優等生のレールからは、早い時点で外れ、カナダとアメリカで、自分の能力を伸ばしながら勉強を続けてきた。いつも、はしごをかけるように、次のステージが目の前に現れ、そこにある新しいチャレンジに立ち向かうことになった。全力で走りきると、次の目標は自然と見えてくる。どの国にいても、どんな状況でも、常にそういうふうにできている。

こだわってきたのは、どんな時も、自分らしさを忘れず、のんびりのびのびとご機嫌でいること。ハッピーな気持ちを保つこと。スポーツで実力を発揮するためには、イメージ・トレーニングや、ある種のマインド・コントロールがきくというが、私は、もっと単純に、「平常心でプロジェクトをこなすこと」を習慣づけた。いらだちやストレスがある時は、もやもや解消のためのアンガー・マネジメントとして、趣味のピアノやスケートを使った。好きなことをしてストレスを発散するように心がけた。

世の中には英語の勉強法をはじめ多くのマニュアルがあるが、グローバルな環境で成功して勉強することは、そんなマニュアルでなんとかなるものではない。ルールを守るよりも型の破り方を知ること。そして友人の助言を受けとめ、自分らしさを最優先すること。ぶれない強さを持って試行錯誤を続けるうちに、私は自分に合った勉強法を見つけた。手っ取り早いノウハウを探すのではなく、じっくり自分と向き合うことで、自分の方法を編み出した。競争のための勉強ではなく、自分のための勉強をして、しっかり生きてきた。

これからも、もっともっと学んでいきたい。社会に、世界に、もっと貢献する知識を発信できる力をつけるのだと、アンビシャスな気持ちにあふれている。

イギリスにいる今日は、郵便局に行った。イギリスから初めての手紙を書き、郵便局に持っていった。目の前で切手に押された消印に、手紙に込めた約束の重みを感じた。バンクーバーのカッセルマン先生へ。ジーンおばあちゃんへ。世界を飛び回るアンバーへ。自分らしく生きるマイケルへ。そして、日本の家族へ。約束は、私の学ぶ道、走る道を創っている。

☆目の前のことに全力を尽くせば次のステージが見えてくる
☆大事な人との約束は、人生の重要な道しるべ
☆人と競わず、自分のために勉強する
☆のんびりのびのび、そしていつもＭＡＸの力を発揮する
☆勉強は一生続くマラソン

あとがきにかえて

大きな木の下で空を見ている。そして、気づいたことがある。
空も好き。虹も好き。その空間を飛び交う鳥のスピードが好き。
スティーブンと昔読んだ絵本、かもめのジョナサン。翼を広げて爽快に大空を飛ぶそのイメージが、いつまでも私の中に生きている。
ジョナサンは、今も私を動かしている。

7月24日

○ＩＱよりも大事なもの

海外に出て、もう15年近く経つ。その間、せっせと勉強してきた。過去を振り返ることもなかったが、その15年の勉強歴には、私のオリジナルな道を切り開かせるＩＱよりも大事なものがたくさん詰まっていた。この機会に、いくつもの大事なことに気づいてよかった。結局、自分自身の勉強になった。「絶対、他の人にも役立つ秘密があります！」と、私のオリジナルな勉強法と教育に関する強い興味に気づき、熱意と自信を持って私を説得し、この本を自由に執筆させてくださった編集者、小木田順子さんにとても感謝している。

勉強法を書いていたら、でき上がったものが勉強をこなすマニュアルではなく、友人、学生、恩師へ感謝するような形式になったのも、貴重な発見だった。これまで自分が勉強をして、能力を発揮するために、ものすごい数の人々に支えられ、励まされ、背中を押してもらってきたということだ。私に鏡を差し出し、手をつなぎ、無言でうなずき、信頼を寄せ……。彼らは、さまざまな形で学ぶことの大切さを教えてくれた。学びとはまた、自分が自分らしく生きるために、周りからいただいた助言の軌跡でもあり、感謝の気持ちなしでは語れないものだったのだ。

この本は、日本を出てから身につけた勉強法を書いたものなので、私の日本の家族が登場する機会がなかったが、最後に、日本にいる家族にもお礼を言いたい。

私の両親は小中学校の先生で、教育に関しては、二人とも、とにかく熱心だった。彼らの学ぶ姿勢、生徒への愛情、そして社会貢献への意欲にはいつも感服している。

父は「幸せは、自分で決めること」という格言にも似たポリシーを、いつも口にしていた。小さい頃は、その言葉の真価など分かるはずもなかったが、仕事に真剣に向かい合い、それでいて家族思いの、まさにハッピーそうな父の様子を見て、そのとおりでいいんだと、一度も疑わず、ずっとそう信じてきた。そして、そのポリシーにのっとり、私の道は私が決めていいいと、自分なりのペースで世界を歩ませてくれた父の寛大さに、感謝の気持ちでいっぱいである。

母は、誰よりも明るく、趣味多彩な人物である。子供の私に対して、指導よりは相談に徹してくれた。進む方向は私に自由に決めさせ、失敗した時のために、いつもセーフティ・ネットをこしらえておいてくれた。どんなに忙しくても、幾つかの趣味を続け、仕事以外の場所でも自分を磨き、いつも広く社会を見渡すというスタンスを教えてくれた。忙しさに負けずに、物事を大きくとらえ、何事にも楽しんで向かっていく姿勢は、本当にすばらしいと思う。

結局、私が海外で勉強を続けるのに必要だった強い精神力は、日本の父と母から受け継いだものだった。いつも遠くから見守ってもらっているという強い安心感に依って、私はこれまでやってこられたのだと思う。父と母には、果てしなく感謝している。

教育という彼らの本業、大きなチャレンジに、長年向かい合ってきた姿勢と愛情に敬意を込めて、この本を両親に捧げたいと思う。

◎いつか絶対飛べるはず

小さい頃の夢は「飛ぶこと」だった。夢と言えば、何か職業を挙げるのが普通だと思うが、私は「夢とは、できそうでできないことを実現すること」だと思い込んでいた。高校の時も、いつかは飛べると思っていたし、今でもたまにそう思う（もしくは、そう思いたい）。水に浮くもの、表面を滑るもの、空間を横切る光。水辺で虹が見えたりすると、この情熱がよみがえる。いつかは絶対飛べるはず。そんなひとり言を言ってみたりもする。

私はまるで、飛ぶことをやめない、かもめのジョナサンのようである。

高く、高く、飛びたい。そして、たまに立ち止まっては、その立ち止まった理由を考え、次に飛び立つ方向を決めている。この本も、イギリスに飛び立つ4回目のインディペンデンス・デイに、飛行機の中で書こうと決めた。立ち止まり、自分の足下を見て、そして、自分のライフワークを遂行する意味を重く受けとめた。

この本は、次の大きなプロジェクトに向かって飛び立とうとする今、白い紙を目の前にして、まとめたものだ。これまでの出会いに感謝しながら、気持ちよく書いた本である。これを読んだみなさんが、元気いっぱいに翼を広げて空を飛んでみるきっかけになりますように。ある一人の理系女子の勉強話から、たくさんの新たな勉強法が生まれ、いい経験といい約束にあふれた、意義ある「独立宣言」を生み出すきっかけになりますように。

Profile

北川智子(きたがわともこ)

Tomoko L. Kitagawa

1980年福岡県生まれ。歴史学者。カナダのブリティッシュ・コロンビア大学で数学と生命科学を専攻、同大学院でアジア研究の修士課程を修了。プリンストン大学で博士号を取得。専門は日本中世史と中世数学史。2009年より3年間ハーバード大学で教鞭をとり、学内の「ティーチング・アワード」や「ベスト・ドレッサー賞」を受賞。2012年の「思い出に残る教授」にも選出される。現在は、英国ケンブリッジ・ニーダム研究所を拠点に世界をめぐり、学会発表や講演、執筆活動をしている。著書に『ハーバード白熱日本史教室』(新潮新書)がある。

世界基準で夢をかなえる私の勉強法
2013年2月15日　第1刷発行
2013年3月5日　第3刷発行

著　者　北川智子
発行者　見城 徹

発行所　株式会社 幻冬舎
〒151-0051　東京都渋谷区千駄ヶ谷4-9-7

電話　03(5411)6211(編集)
03(5411)6222(営業)
振替00120-8-767643
印刷・製本所:株式会社 光邦

検印廃止

ISBN978-4-344-02334-5　C0095
幻冬舎ホームページアドレス　http://www.gentosha.co.jp/

この本に関するご意見・ご感想をメールでお寄せいただく場合は、
comment@gentosha.co.jpまで。

幻冬舎の本

郵 便 は が き

お手数ですが、
50円切手を
おはりください。

151-0051

東京都渋谷区千駄ヶ谷 4-9-7

(株) 幻 冬 舎

「世界基準で夢をかなえる
私の勉強法」係行

ご住所 〒□□□-□□□□ Tel.（ - - ） Fax.（ - - ）		
お名前	ご職業	男
	生年月日 年 月 日	女
eメールアドレス：		
購読している新聞	購読している雑誌	お好きな作家

◎本書をお買い上げいただき、誠にありがとうございました。
質問にお答えいただけたら幸いです。

◆「世界基準で夢をかなえる私の勉強法」を
お求めになった動機は？
① 書店で見て ② 新聞で見て ③ 雑誌で見て
④ 案内書を見て ⑤ 知人にすすめられて
⑥ プレゼントされて ⑦ その他（ ）

◆本書のご感想をお書きください。

今後、弊社のご案内をお送りしてもよろしいですか。

（ はい・いいえ ）

ご記入いただきました個人情報については、許可なく他の目的で使用することはありません。

ご協力ありがとうございました。